映像欧洲——

Londres
GUÍA MONUMENTAL

不可不去的伦敦景点

[西] 费尔南多·阿隆索·马丁内斯　著

[西] 玛丽亚·约瑟·莫拉·波霍齐亚兹

[西] 加维尔·多明戈·克莱门特　摄影

陈梅玥　编译

ARTTIME
时代出版

时代出版传媒股份有限公司
安徽科学技术出版社

利布萨（LIBSA）出版社

[皖] 版贸登记号：1210749

图书在版编目(C I P)数据

映像欧洲——不可不去的伦敦景点/(西)马丁内斯著；
陈梅玥编译. —合肥：安徽科学技术出版社,2012.9
ISBN 978-7-5337-5145-6

Ⅰ.①映…　Ⅱ.①马…②陈…　Ⅲ.①旅游指南-伦敦
Ⅳ.①K956.19

中国版本图书馆 CIP 数据核字(2011)第 093190 号

YINGXIANG OUZHOU——BUKEBUQU DE LUNDUN JINGDIAN
映像欧洲——不可不去的伦敦景点　　　(西)马丁内斯　著　陈梅玥　编译

出 版 人：黄和平　　　选题策划：张楚武　　　责任编辑：张楚武　陈芳芳
责任校对：程　苗　　　责任印制：李伦洲　　　封面设计：王　艳
出版发行　时代出版传媒股份有限公司　http://www.press-mart.com
　　　　　安徽科学技术出版社　　　　http://www.ahstp.net
　　　　　(合肥市政务文化新区翡翠路 1118 号出版传媒广场,邮编:230071)
　　　　　电话：(0551)3533330
印　　制　安徽新华印刷股份有限公司　　　电话：(0551)5859128
(如发现印装质量问题,影响阅读,请与印刷厂商联系调换)

开本：787×1092　1/16　　　印张：10.5　　　字数：220 千
版次：2012 年 9 月第 1 版　　　2012 年 9 月第 1 次印刷

ISBN 978-7-5337-5145-6　　　　　　　　　　　定价：40.00 元

目　录

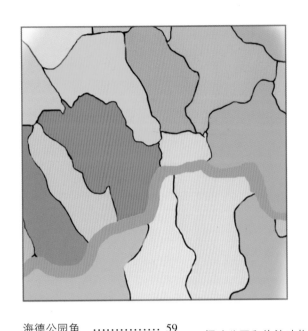

游 伦 敦

体验不列颠风情

历史概述

据我们所知，最早出现在伦敦的居民是一群凯尔特人，但是，首先定居在伦敦的却是罗马人，不仅如此，他们还将这约1.61平方千米的土地建设成了一个城市，就是今天我们所说的伦敦老城。

从公元33年，罗马军队第二次进攻英国开始，人们就开始定居在伦敦了。人们修建了行政建筑，在西岸建了一座桥，并在城市周围修砌了在当时可以说是规模庞大的城墙。早期的伦敦很快就成了一个重要的港口和交通系统中枢。从那时起，尽管这里遭受着各种侵略，但贸易依然蓬勃发展。因此，当1066年诺曼底被攻取后，伦敦就被定为国家的首都了。对于伦敦，游客十分欣赏的一点是：这里没有一个公认的中心。这是由于伦敦是由两个核心人群发展推动而成的：伦敦老城最初是罗马人的定居处，而威斯敏斯特城在11世纪成了政府总部。一个又一个世纪过去了，两个中心都逐渐发展且吞并了周边的城镇，最终形成了现在的伦敦。

▶伦敦风光：伦敦巨眼摩天轮、大本钟、千禧桥。

英国女王伊丽莎白一世时期是伦敦发展最快的时期之一——在40年间，伦敦的人口增加了两倍。

▲议会大厦。

不幸的是，1666年，中世纪都铎王朝和雅各宾时期的伦敦遭受了一场大火，大部分地区都被烧毁了。这确实是伦敦发展和进步的转折点，但绝不是停滞点。伦敦用克里斯托弗·列恩的非凡作品重新塑造了自己。克里斯托弗·列恩负责了重建工作，并成为伦敦形象的代表，是历史上最重要的人物之一。

很快，伦敦成为扩张中的英国的重要中心。一方面，伦敦在政治上有明显优势，因为它是议会所在地；另一方面，伦敦也是当时经济发展的重要中心。格鲁吉亚风格盛行时期，建筑师用他们宏伟的充满理性的建筑填补了火灾之后的中世纪空白，这种建筑大大增加了居住空间，体现出了伦敦的财富和重要性。1837年，维多利亚女王登上王位，开始了伦敦历史上最辉煌的时期：建立在工业和贸易基础上的帝国拥有大约5亿臣民。泰晤士城成为历史上最富有、最广阔的帝国的无可争辩的首都。在那个时期，艺术和科学的发展似乎永无止境。现在伦敦的街道很好地保留了那个时期的标志：大本钟和圣潘克拉斯火车站都是维多利亚时期的建筑。

▶伦敦标志性建筑伦敦塔桥。

▲皮卡迪利地铁。

19世纪的工业革命带来了人口和城市数量的激增，同时也促使城市郊区网络的出现和新一波城市居民数量的增加。那个时期的贫富差距巨大。在远离那些宏伟的建筑和受益群体的地方——河岸边充斥着贫困、饥饿和绝望，而现在我们只能想象这些画面了，并且要借助电视新闻里出现的在南美锥形地区破败的城郊图像作为参考了。

伦敦格鲁吉亚和维多利亚风格时期的建筑充满了魅力，而在第二次世界大战时却遭到了德国空军的袭击。伦敦中心和伦敦东区大片地方被从地图上抹去了，32 000名伦敦市民死亡，此外，还有50 000人受伤。

战争的狂轰滥炸磨灭了伦敦的光辉，于是，战争一结束，伦敦就开始全速打造有艺术雕花的建筑，重建那些被摧毁的主要区域。与此同时，在将商品卸货港搬到了蒂尔伯里后，码头失去了历来的重要性，港口区域逐渐衰落。

面对国家战后贸易保护主义和大规模住宅计划，伦敦在20世纪的整个80年代都让步于重要的城市化发展，而在美感方面，发展却并不突出：不动产交易和企业的野心并没有给城市带来美感，有时候甚至还毁了一些最漂亮的建筑。

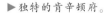

◀典型的电话亭。

▶独特的肯辛顿府。

▲ 酒吧里的情侣。

▲ 典型的鲜花摊位。

　　然而，近几年变化十分明显，伦敦，这个世界建筑、设计和艺术中心实行了一项新的政策。其中最重要的步骤之一就是最新开发的全国彩票，其收益将用于公共建设。从那时起，为了迎接新千年，伦敦开始制定一些大规模的建造计划，并成立了一个委员会负责评估参与竞争的各个建筑提案。

　　伦敦最后确定了三个建设项目：泰特现代美术馆、千禧桥和千禧穹顶。这三座建筑的出现标志着伦敦城市形象发展的转折点。不仅如此，近几十年，许多重要建筑师都在伦敦完成了他们的一些最大胆、最具意义的作品。紧邻圣保罗大教堂和威斯敏斯特宫，矗立着劳埃德保险公司大厦和伦敦市政厅，这两座建筑使伦敦的新建筑成了城市的重要景观之一。

　　毫无疑问，建筑的发展正改变着伦敦的面貌。怀旧和创新完美地交融在伦敦街头，因而，游走在伦敦人们会一次次地惊叹伦敦历史的宝藏，并会禁不住去探知大师们为不远的将来绘出的线条。

▶ 威斯敏斯特教堂。

国际都市

　　很少有城市敢自诩可以像伦敦一样提供给市民如此丰富多彩的生活。

　　街道上都是来自世界各地的人们。城市显得多姿多彩，充满异域风情。

　　此外，街头的小商品市场热闹非凡，灰色的天空也被唤醒了。

皮卡迪利大道、牛津城、索霍区

皮卡迪利大道、牛津城、索霍区游览路线
(景点后的括号内为建筑的位置)

- 特拉法加广场
- 圣马丁教堂(林荫大道/查令十字街)
- 英国国家美术馆(特拉法加广场)
- 伦敦国家肖像画陈列馆(特拉法加广场/奥伦治街)
- 帕玛街
- 马堡大厦(马堡街/特拉法加广场):亚力山德拉女王纪念碑
- 女王教堂(帕玛街/马堡街)
- 圣詹姆斯宫(圣詹姆斯地区)
- 斯特博尔亚德路
- 皮卡迪利大道
- 圣詹姆斯教堂(皮卡迪利大道)
- 英国皇家美术院(皮卡迪利大道)
- 布鲁克街
- 牛津城
- 贝克街
- 波特兰广场街:圣公会诸灵堂
- 圣玛丽莱本牧区教堂
- 杜莎夫人蜡像馆和伦敦天文台(玛丽莱本街)
- 菲茨罗伊广场
- 电信塔(梅普尔街)
- 夏洛特街
- 索霍区
- 伦敦圣母院(莱斯特广场)
- 皮卡迪利区

古典和现代在伦敦交融,千禧桥和圣保罗大教堂就诠释了这种交融。

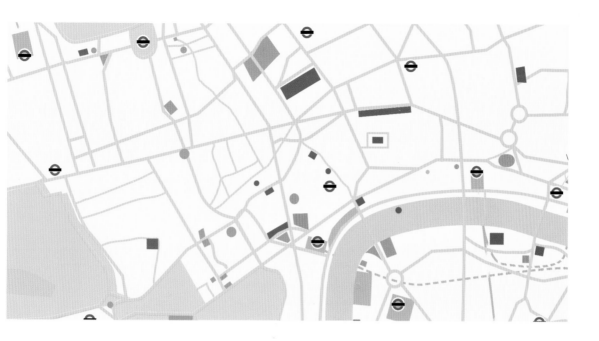

正如历史学家A.N.威尔逊所说,能够一次看遍伦敦的最好的方法之一就是到汉普斯特德西斯公园,从议会山上俯瞰。从那里望下去,你就可以证实伦敦并不是按照一成不变的计划而建的。这样的无序成了伦敦最大的特点之一(甚至可以说是伦敦的最美妙之处),因此,散步或闲逛是发现伦敦独特之处的最好方法,这样就可以将组成伦敦的各段历史联系起来。

只有漫步在伦敦街头,才能将众多的罗马城墙、维多利亚时期的工程奇迹和因为希特勒的野心而引发的第二次世界大战带来的灾难实实在在地联系起来。

伦敦的出租车本来是标志性的黑色,而现在街上的出租车车身上已经载满"公共广告"。

特拉法加广场

特拉法加战役

1805年10月21日,这场著名的战役发生在加第斯的特拉法加岬角。

交战的双方是法西联合舰队和英国海军。面对不到500人的英国海军,法西联合舰队死亡却有两万多人。英国海军结束了西班牙的海上霸权,开始了自己的海上霸主时代。

▼特拉法加广场的一座狮子雕塑。

伦敦中心区行程的出发点非特拉法加广场莫属。特拉法加广场由约翰·纳什设计建造,为了纪念在对抗拿破仑军队的特拉法加战役中阵亡的英国民族英雄——海军上将尼尔森。

广场正中矗立着一座高50米的花岗岩石柱,其下是一个铜制的基座。此外,还有四座简朴的金色狮子雕像,也是广场上的主要景观(游客和那些好斗的鸽子也是主要景观的一部分)。狮子雕像是在1867年被安置在广场上的。

特拉法加广场是城市海报上的经典图像之一,是伦敦形象的标志,不光如此,广场也是伦敦市民喜爱的庆祝节日(尤其是除夕)和进行政治游行的地方。实际上,所有的示威游行都途经特拉法加广场,或在广场上结束。

广场的北翼交通被阻断了,这样就为人们开辟了一片行人区域,在很大程度上恢复了广场的原貌,在一定程度上反映了这样的理念——一个开放和宁静的广场。那里也是英国国家美术馆的所在地,和其他历史建筑一样对特拉法加广场有重要意义。

▲特拉法加广场。

▶浮雕:在特拉法加战役中负伤的尼尔森。

圣马丁教堂

在众多的历史建筑中,圣马丁教堂十分突出。13世纪时,圣马丁教堂所在的区域还是一片开阔的田野,只有一座寺庙建造在那里。教堂被重建了很多次,1722~1726年,詹姆斯·吉布斯被任命负责建造我们今天所看到的这座教堂。值得注意的是,当初设计时,教堂将建在一个满是普通建筑和狭窄街道的区域。直到一个世纪后,特拉法加广场才进行了规划,并拓宽了所有的入口通道,而在那时,教堂的光辉美妙之处还未被人们发现。

圣马丁教堂是巴洛克风格和古典风格的创新结合体,其两个主要元素是:有6根巨大的克林斯石柱的门廊和一座基座是方形的塔,塔尖十分精巧。这座塔意义十分深远,因为它成为许多北美殖民地建筑师的建筑范本。许多美国教堂的钟楼都从这座塔中获得建筑灵感。在塔内有一些石柱,顶部为克林斯风格,还有用大白浆粉刷的椭圆形天花板。

如今,教堂仍然履行慈善的职责。在这里热食被分给那些无家可归的人们,同时,教堂里还有一个引人遐想的咖啡馆和一家宗教主题的书店。因为出色的声学效果,教堂也常被用来举行音乐会。

▲圣马丁教堂的塔楼。

▶圣马丁教堂外部。

教堂内部

大祭坛的北面有一个供皇室使用的包厢,因为圣马丁教堂是白金汉宫教区的教堂。特殊的利害关系赋予了教堂砖砌的拱顶地下室新的使命——在第一次世界大战后,地下室为战后贫苦人们提供保障,在第二次世界大战时,地下室成了躲避德国闪电空袭的防空避难所。

▲教堂内部。

英国国家美术馆

《岩间圣母》，达·芬奇

英国国家美术馆所在的建筑于1834~1838年间由威廉·威尔金兹设计建成，它是一座新古典主义风格的建筑。建筑作品比较一般，因为建筑的圆屋顶很小，与正面的高度不成比例。如果要欣赏建筑正面的全貌，只需要简单地向后退几步再看即可。

美术馆的馆藏品从1828年前后开始收集，当时，乔治四世执意要政府从一个俄国商人手中购置38幅画作，其中就有拉斐尔和伦勃朗的画作。

从那时起，美术馆渐渐发展至今。现在，人们可以在一个个大厅按照画作的年代顺序欣赏众多名师名作。

目前，美术馆内藏有自14世纪至19世纪初的2 000幅左右的画作，是世界上最大的馆藏之一。

美术馆这座建筑在近代英国建筑史上有重要意义。1984年，当设计图最初被公布时，建筑的一个很大的特点是镶有一块巨大的玻璃板，这引发了很多人的质疑。其中，反对最强烈的是查尔斯王子，他甚至评价说，这个建筑将会像"一位高贵的、受爱戴的朋友脸上丑陋的肿瘤"。

1991年，该建筑对外开放，即刻引起了巨大的争议。一大群诋毁该建筑的人又重新站了出来，不过，那个时候这座建筑已经建成了。

无论如何，在评判建筑的式样时，人们还是广泛认为，建筑的结构既不与它古典的特征相符，也不与周围的建筑相协调。

■ 塞恩斯伯里翼

馆藏1260~1510年的画作，主要是意大利和日耳曼画作。

● 真蒂莱·达·法布里亚诺
● 《受洗节》，皮耶罗·德拉·弗朗西斯卡
● 《圣母和圣子》，波提切利
● 《圣母子与圣安妮、施洗者圣约翰》、《岩间圣母》，达·芬奇
● 梵德尔
● 杨·凡·艾克

▶英国国家美术馆宏伟的石柱和门廊。

《生命之梦》，米盖尔·安赫尔

《圣母玛利亚的怀胎》，牟利罗

《向日葵》，凡·高

■ 西翼 　　　　■ 北翼 　　　　■ 东翼

馆藏1510~1600年间古典文艺复兴时期意大利、德国和弗兰德画作。

● 《生命之梦》，米盖尔·安赫尔
● 提香
● 老勃鲁盖尔
● 《大使们》，荷尔拜因，馆中标志性藏品之一
● 波希

馆藏1600~1700年间意大利、法国、荷兰和西班牙大师的画作。

● 鲁本斯
● 伦勃朗
● 卡拉瓦乔
● 《圣母玛利亚的怀胎》，牟利罗
● 《镜前的维纳斯》，委拉斯凯斯
● 祖巴兰

馆藏1700~1900年间法国洛可可风格画作、英国风景画、印象派和后印象派画作。

● 让·安东尼·华托
● 约翰·康斯太勃尔
● 约书亚·雷诺兹
● 德拉克洛瓦
● 《睡莲》，莫奈
● 图卢兹·劳特雷克
● 乔治·修拉
● 《向日葵》，凡·高

平面图(右下)：

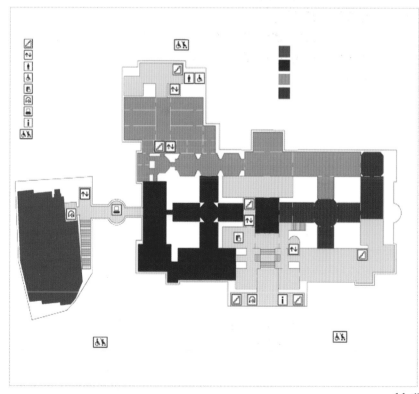

伦敦国家肖像画陈列馆

　　参观英国国家美术馆后，圣马丁广场上的伦敦国家肖像画陈列馆也值得一去。 这座独立的博物馆一直处在大规模的美术馆的阴影下，因而，人们经常忽略了它本身所拥有的不容置疑的功绩。肖像画陈列馆建于1856年，最主要的目的是通过一系列的画作、图片、雕塑和照片来展示英国的历史。这些与英国生活、政治、科学、文学和艺术息息相关的人物的肖像画按年代顺序从顶楼至底楼陈列。最初，肖像画是按照不同风格的作者相对独立收藏和记录的。后来改为采用按年代顺序排列的方法，这使得国家肖像画陈列馆里的10 000多幅作品显得整齐而且品质上乘。

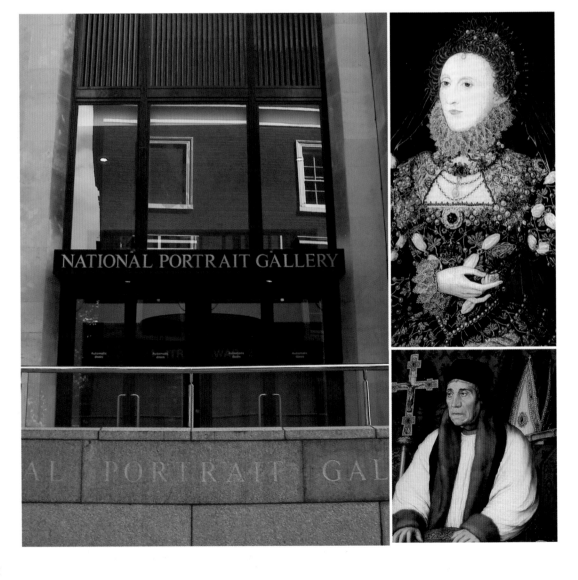

英国社会缩影——伦敦国家肖像画陈列馆参观图

底层

● 重要的当代名人。萨姆·泰勒·伍德拍摄的足球运动员大卫·贝克汉姆睡觉的录像，看起来十分空洞无趣，但是，出人意料的，这个录像是馆内最受民众欢迎的作品之一。

第二层

● 由米切尔·西图1505年所作亨利七世的肖像画（据推测是馆内最古老的作品）。

● 由吉拉额斯所作的伊丽莎白一世（都铎王朝最后一任统治者）。

往下，皇室和贵族肖像逐渐被英国历史上的其他领域的著名人物的肖像所代替。

——小说家勃朗特姐妹的肖像；

——温斯顿·丘吉尔年轻时的肖像。

第三层

● 20世纪：在位皇室家族成员的肖像（女王的肖像由受欢迎的艺术家安迪·沃荷所作，熠熠生辉）。

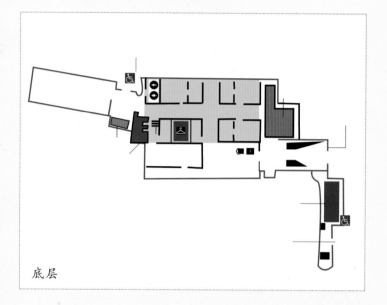

底层

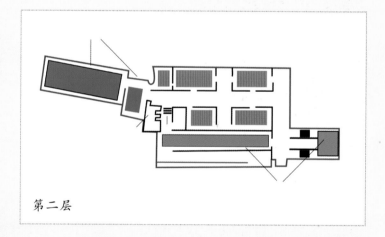

第二层

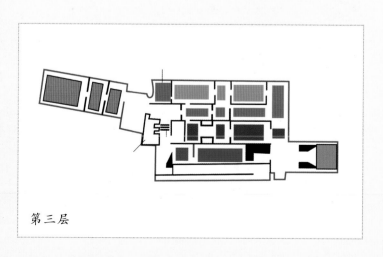

第三层

帕 玛 街

　　从特拉法加广场起始的道路和街道有好几条,其中最雅致的就是帕玛街。帕玛街得名于paille-malle,是一种使用球和球棍的比赛。查尔斯一世非常喜欢这种比赛,而当时的赛场就在这条大道上。在帕玛街的周围是伦敦最精华的区域,在这些区域里,有帕玛街、圣詹姆斯教堂、皮卡迪利大道等亥马科特区。

　　这里有许多著名的伦敦俱乐部(其中有不少到现今依然营业,只是少了一些古老的宗派主义,社会威望也不如前),我们很早就在电影里见过它们的身影。这些排外的,有独特礼仪的特权场所源于17世纪中叶的咖啡屋。之后,这些场所开始对公众开放,然而,它们依然保留了起初一些基本的特点,在此基础上,才有了今天我们看到的这些俱乐部。人们在俱乐部里读报、开茶话会、喝咖啡(或是饮酒)。同时,俱乐部里还隐约存在等级制度。

正如我们所知，18世纪后半期阿尔梅克聚会处的开放，标志着伦敦俱乐部的诞生。聚会处一开始实行了严格的限制和特殊的管理制度，事实上，根据民间流传，惠灵顿公爵本人曾有一次因为没有按照规定穿男式短裤，穿了长裤而被禁止入内。

这些场所在19世纪初的几十年间，随着雅典娜俱乐部和旅客俱乐部的开张(俱乐部入会规定的第15条十分有名：所有候选人必须从未离开过以伦敦为中心方圆约805千米的距离)，达到了顶峰。

作家亨利·詹姆斯和H.G.威尔斯都是革新俱乐部杰出的会员。然而，令游客感到遗憾的是，这些俱乐部保存完好的豪华内部只对俱乐部成员和受邀者开放。

在皮卡迪利大道，邻近格林公园处，有一座新奇的纪念性建筑(如果我们可以这么评价的话)可以让我们重游过去达到鼎盛时期的那些俱乐部。

"仆人的休息处"是一个木制的平台以供仆人休息。当人们从窗口看去，感觉缺少一个可以供信使和仆人休息的地方时，出于慈悲，人们资助修建了一个石凳。很显然，这就证明了19世纪特权阶级和平民的巨大差距在伦敦依然存在。

◀众多俱乐部的中心——帕玛街。

▶坐落在106号的旅客俱乐部。

英国的灵魂

帕玛街上的俱乐部洋溢着古代英帝国的保守氛围。英国不同意使用欧制计量单位以及欧元。塞维俱乐部的五点下午茶十分出名，灰色细条纹西装俱乐部要求人们穿着燕尾服并且要戴英国传统高脚帽。

马堡大厦和亚力山德拉女王纪念碑

▲从帕玛街看到的马堡大厦。

马堡大厦

从特拉法加广场走到帕玛街的尽头，在街面左边可以看见马堡大厦的入口。马堡大厦最初是根据马堡公爵夫人的要求而设计的。马堡公爵夫人希望建一座线条明晰、结构坚实的建筑，要不同于显得不真实的布伦海姆宫。(这座宫殿公爵夫人已经赠予了她的丈夫以感谢他的军事成就。)

传说那些建造大厦用的色彩明亮的小红砖是被作为压舱物带到英国的。这座建筑是历史上一些皇室成员的寓所：1865年，乔治四世出生在此处，爱德华七世1901年登上王位前也一直居住在此，除此之外，1936~1953年间，玛丽皇后居住在此直到去世。

1962年，人们开始着手对马堡大厦进行改建翻修，将马堡大厦建成了英联邦的政体中心，也因此，人们被限制进出这座大厦。

亚力山德拉女王纪念碑

在朝向马堡街的一面有亚力山德拉女王纪念碑。这是一座为了纪念亚历山德拉女王而建的新艺术风格纪念碑。纪念碑的外形结合了信仰、希望和爱的元素，这些被认为是亚历山德拉女王的重要特点。

◀亚力山德拉女王纪念碑是一座富有寓意的雕塑。

女王教堂和圣詹姆斯宫

在马堡街上,圣詹姆斯宫的对面,矗立着著名的女王教堂。女王教堂于1627年由尼戈·琼斯所建。最初,人们是想为西班牙的玛丽亚公主建一座私人小教堂。玛丽亚公主是罗马天主教徒,也是查尔斯王子的未婚妻。然而,事情不久后发生了变化,教堂最后改为法国公主亨利亚塔·玛丽亚而建。亨利亚塔于1625年与查尔斯王子成婚。尽管这座小教堂内木制天花板雕花十分精美,还有几条为皇室成员准备的装饰华丽的长凳,但是,很遗憾,教堂每年只有很少的几天对外开放。

圣詹姆斯宫

圣詹姆斯宫是一座复杂的、表现力很强的砖结构建筑,由亨利八世负责修建。圣詹姆斯宫曾断断续续地作为皇室寝宫。宫殿以小圣詹姆斯(也作"小雅戈",耶稣十二使徒之一)命名。12世纪初,那里一直是一个麻风病院,直到1532年麻风病绝迹,同年,亨利八世开始修筑他的建筑作品。圣詹姆斯宫内部不对外开放,因为从街上观赏这座建筑就足以领略其鲜明的都铎王朝的特征了:大门和门边的两座深色堞塔都会让人追忆起1666年被大火摧毁的伦敦。

▶圣詹姆斯宫宏伟的正面。

斯特博尔亚德路和皮卡迪利大道

斯特博尔亚德路与马堡街平行，几乎伸入了格林公园。这也是一条与英国贵族有关的小路。在这条路上有克拉伦斯别墅和兰开斯特宫。

克拉伦斯别墅正对林阴大道，在1825~1827年由约翰·纳什为克拉伦斯公爵所建。克拉伦斯公爵就是后来的威廉四世。克拉伦斯宫曾作为英国皇太后的寝宫，皇太后直到去世前都居住在那里。皇太后去世后，她的孙子查尔斯王子开始着手对克拉伦斯宫进行一系列耗资不菲的重要改建，此后，克拉伦斯宫成为查尔斯王子全家的寝宫。

兰开斯特宫是一座古希腊简朴风格的建筑，于1827年由建筑师本杰明·怀

▲福南·梅森百货商店正面局部。

▼丽兹酒店的入口。

亚特为约克公爵所建。约克公爵在建筑完成前就去世了，兰开斯特宫被传到了斯塔弗德侯爵手中。之后，兰开斯特宫成了当时自由事业的中心，也成为维多利亚女王最喜爱的地方之一。1864年，第三世公爵和他的朋友，意大利爱国人士加里波第造访了兰开斯特宫。公爵们在兰开斯特宫组织了几次"灵魂组织"的会议。（"灵魂组织"是贵族知识分子参加的组织。）1912~1941年间，兰开斯特宫是伦敦博物馆的总部。

皮卡迪利大道

背对圣詹姆斯宫，走入圣詹姆斯地区，一直往前走就可以到达皮卡迪利大道，在其附近有许多商店。

这些商店中就有著名的福南·梅森百货。这家百货商店有近300年的历史，是奢侈品的象征，同时也完美地展现了"英国的高品位"。罗伯特·法尔肯·斯科特在前往南极探险前就在其中的一家百货店购置了他的食物和给养，这一点就足以证明这些百货店的历史意义和重要性了。百货商店精心装饰的店门提示着顾客店内精选的传统优质产品，而其本身也是对现代特色的一个永恒的挑战。

街面的西部，靠近格林公园处是丽兹酒店的所在地。丽兹酒店建于1906年，建筑正面仿照19世纪法式建筑的风格，而酒店内部华丽的路易十四时期风格的装潢则仅供酒店的顾客享受和欣赏。

圣詹姆斯教堂和英国皇家美术院

离开商业区，在皮卡迪利大道还有两个值得人们关注的地方。其中之一是街面东边的圣詹姆斯教堂，离皮卡迪利广场很近。这座教堂凭借其优越的地理位置和迷人的建筑风格，成为18世纪人们最喜爱和最常去的教堂之一。

第二次世界大战中投下的燃烧弹严重毁坏了圣詹姆斯教堂这座建筑，而后，艾尔伯特·理查德森爵士负责领导重建工作。重建后的教堂近乎完美，非常珍贵。1685年，玛丽亚二世将这座建筑赠予了教堂。

▲英国皇家美术院。

◀圣詹姆斯教堂塔楼。

英国皇家美术院

另一个值得一去的地方是英国皇家美术院，它就坐落在福南·梅森百货商店对面的伯灵顿宫内。伯灵顿宫是一座18世纪帕拉第奥风格的建筑。

19世纪是英国皇家美术院最辉煌的时代，同时美术院也是英国艺术最正统发展趋势的主要参照。皇家美术院的成员享有特殊地位。如今，美术院依靠举办展览、招收学生和一些捐助继续经营。

布鲁克街和牛津街

▲牛津街——购物中心。

　　从旧邦街走上牛津街，不远处，我们就可以看到布鲁克街上的一个蓝色铭牌(伦敦有许多这样的蓝色铭牌，告诉人们一些杰出市民的居所。)，标着"亨德尔故居"。该故居之所以有意义是因为亨德尔就是在此完成了《弥赛亚》的创作。故居隔壁的23号，现在已经是亨德尔故居博物馆的一部分了，另一位历史上著名的音乐家——吉他大师吉米·亨德里克斯就曾经在此度过了他生命的最后一年。

牛津街

　　牛津街基本上是一条望不到尽头的商业街，街上集中了许多重要的国际品牌店。穿过牛津街就到了伦敦的一个宁静的、令人愉悦的地方：牧人市集。

　　梅菲尔社区刚好在伯宁街和奥德利街中间，狭窄的街道、商店、饭店和露台构成了梅菲尔社区的灵魂。梅菲尔社区是一个伦敦上流社会的住宅区，得名于"五月集市"。五月集市从1688年开始举办，而举办地就是今天牧人市集的所在地。在宽阔的牛津街和玛丽莱本街之间，有一整片布局规律的道路网和广场，其中就有两条我们此行的重要街道：贝克街和波特兰广场街。

纪念铭牌

　　从牛津街附近的街角转身，就是南莫尔顿街，街上的17号有另一个铭牌以纪念诗人和画家威廉·布雷克。在这里，威廉·布雷克在"神谕"的启示下创作了他那些幻想的肖像画，无疑，这是一个谜一般的神秘地方。

贝 克 街

华莱士收藏馆坐落于曼彻斯特广场上，与贝克街起始段平行。这个收藏馆很有可能是世界上最重要的私人收藏馆之一，是西摩·康威家族五代人收藏的结果。展出的物品包括画作、雕塑、瓷器、家具，甚至还有盔甲。

华莱士收藏馆内25个画廊内的藏品着实令人印象深刻，尤其是范戴克的几幅肖像画、提香的《酒神与阿丽雅德尼公主》、牟利罗的《圣家族》和19世纪德拉克洛瓦、梅索尼埃、柯洛和杰利柯等人的画作。

▲人们最喜爱的英国文学人物之一——福尔摩斯博物馆。

福尔摩斯博物馆在贝克街的北部，几乎到了摄政公园内。虽然门牌上标的是221B，而实际上博物馆却在237~239号。这个令人困扰的小变化恰恰应了柯南·道尔的小说情节，在小说中，那位不朽的侦探的地址就是221B。而作者柯南·道尔本人的眼科诊所就开在德文郡广场街2号，那里也是伦敦医生居住社区的中心。哈利街是社区的主要街道。伦敦最重要、最受欢迎的医生都将诊所开在哈利街上的那些19世纪末的特色建筑中。

◀华莱士收藏馆。

波特兰广场街和圣公会诸灵堂

▲哈利街17号。

波特兰广场街

宽阔的波特兰广场街与哈利街平行，离那些典雅的私人诊所很近，是摄政街的延伸段。雷亨特王子希望有一条皇室使用的道路可以连接他的寝宫卡尔顿宫和摄政公园北部的一些田产，于是建筑师约翰·纳什应命构想并建设了波特兰广场街。这条街曾是伦敦最宽的街道之一。亚当兄弟规划在这条街附近建豪华房屋，而实际上纳什计划的是建一条中央林阴大道，用巴黎风格装饰伦敦的市中心。

摄政街和围绕着摄政公园而建的整排历史建筑之间的房屋也是纳什构建的，其中的大部分已经被拆毁了。然而，如果我们从摄政街走过，经过皮卡迪利大道后马上转弯，再沿着波特兰广场街一直走到街尽头的半圆形新月公园，我们依然可以凭直觉感受到那条皇室大道的气息。

圣公会诸灵堂

从摄政街可以看到圣公会诸灵堂最好的全景。值得注意的是，我们应该把这座教堂看成纳什城市规划的一个额外元素（这座教堂是城市中唯一的一座。）。圣公会诸灵堂不仅是信仰崇拜的中心，同时，教堂设计大胆的塔尖也是点缀摄政街弯道的一个充满美感的元素。教堂的历史可以追溯到1824年，与上文提到的塔尖齐名的标志是教堂特殊的圆形结构。1940年，在德军的一次空袭中教堂受到了损害，之后，人们对教堂进行了一些基本的修缮工作，我们今天看到的圣公会诸灵堂基本就是这个样子了。

▶广播大厦。

另一方面，圣公会诸灵堂和相邻的广播大厦有特殊的合作关系——广播大厦使用教堂的新地下室作为无线通讯室。门廊上有建筑师约翰·纳什本人的半身像。在波特兰广场街有三个地方值得人们驻足停留：第一处是66号的英国皇家建筑学院。负责设计建造66号这座建筑的是建筑师戈雷·沃纳姆。建筑的正面用浅浮雕装饰，在入口处的两边列有雕塑，巨大的铜制门上展示着伦敦的一些重要建筑。

值得停留的第二处是广播大厦。广播大厦建于1931年，是当时年轻的英国广播公司（BBC）的总部。这座规模庞大的建筑和其建筑风格象征着英国广播公司对英国社会作出的卓著贡献。建筑正面最引人注目的是浮雕《普洛斯彼罗和阿列尔》。随着时间的流逝，广播大厦里的大部分设施都被移到了离伦敦市中心更远的地方，而广播大厦则留在原地作为博物馆，回顾伦敦广播普及的历史。

最后一站就在面前，是令人好奇的朗汉姆希尔顿酒店。它规模庞大，但却不是很具吸引力，因为在酒店营业之初它就被认为是伦敦最奢华的酒店了，它曾欢迎过尊贵的客人，如马克·吐温或奥斯卡·王尔德。酒店正面进行过修复，为的是使人们见识到其曾经的魅力。

▲圣公会诸灵堂。

圣玛丽莱本牧区教堂、杜莎夫人蜡像馆和伦敦天文台

▲圣玛丽莱本牧区教堂。

玛丽莱本街一直延伸到新月公园，到了尽头继续走下去之后就是尤斯顿路。从新月公园出发向西一直走到玛丽莱本街，在街面左边我们就能看见圣玛丽莱本牧区教堂了。该教堂由托马斯·哈德威克建造，是一座宏伟的建筑，它有古典式门廊，内部用巴洛克拱顶石修建。1846年，诗人伊丽莎白·芭蕾特和罗伯特·勃朗宁在这座教堂里完婚。

这场浪漫的婚礼(两人背着各自的家庭结合)被留在了教堂北殿的一个玻璃柜内，以纪念两人的结合。

杜莎夫人蜡像馆和伦敦天文台

继续前进，在街对面是全球知名的杜莎夫人蜡像馆，而与之相邻的是伦敦天文台。伦敦天文台最令人好奇的就是其在路中央拱起的巨大蓝色穹顶，除此之外，伦敦天文台其实并没有太大特色。

杜莎夫人是瑞士人，因为制作法国大革命遇难者的面具而成名。1835年，她在贝克街成功举办了一次作品展，从此，她的作品就永远留在了伦敦，留在了这座展览馆里。尽管蜡像馆现在已经不要求只为过世的人陈列蜡像，且蜡像馆更专注于复制名人，但是杜莎夫人蜡像馆的传统仍然延续着。

▶杜莎夫人蜡像馆。

相关历史

杜莎夫人蜡像馆内陈列着数以百计的名人蜡像，除了电影、体育和音乐明星外，还有在政治和历史上的知名人物。

参观的最后一站令人不寒而栗，展馆里展出的是500年间被判刑的重大罪犯。

菲茨罗伊广场、电信塔 和夏洛特街

▲电信塔局部。

如果从新月公园向东沿着尤斯顿路走,到达康威街后右转,我们就进入了菲茨罗伊广场。广场的东面和南面分别建于1790年和1794年,至今仍然保存完好。菲茨罗伊广场和广场周边到处都是蓝色的铭牌,提醒人们这片区域是19世纪末到20世纪初伦敦艺术家和知识分子最喜爱居住的地方——广场的29号曾经住过萧伯纳和小说家弗吉尼亚·沃尔夫。

电信塔

从菲茨罗伊街继续向南走,到达梅普尔街后右转,就到了电信塔。电信塔的前身是邮政塔。这座又高又细的电信通讯中心没有任何美感可言。

电信塔是一座巨大的花岗岩石柱,外层用玻璃覆盖。电信塔的高度虽然同其他摩天大楼一样破坏了城市的风景,但是这样的高度依然使电信塔成为伦敦70年代最具象征意义的建筑之一。电信塔的观测台和它的旋转餐厅曾是实实在在的旅游广告,不过,那样的时代已经成为过去。现在,考虑到安全因素,游客们无法再进入电信塔了。

夏洛特街

让我们重新回到菲茨罗伊街。菲茨罗伊街延伸到牛津街后就到了夏洛特街。19世纪末,夏洛特街成了城市中具有波希米亚风情的街道之一。之后,随着移民的到来和这个区域的无产阶级化,夏洛特街最终成了通往索霍区的必经之路。夏洛特街维持着艺术和知识的氛围,然而,伦敦过度的夜生活依然影响到了这条街。一战和二战之间是夏洛特街的辉煌时期,街上有许多酒吧。激进的作家和艺术家常常聚在这些酒吧里讨论或是辩论。其中最著名的就是富有传奇色彩的菲茨罗伊酒馆。该酒馆坐落于夏洛特街16号,很多获乔治·欧威尔奖的作家经常造访那里,因而它名声大噪。

▶电信塔。

然而,1955年时,夏洛特街成了一次轰动的被警方大围捕的现场,警察在现场找到了好几十个乔装成女人,并且染过发的男人……一方面,第二次世界大战后,时代确实变了;另一方面,就像大家常说的那样,索霍区正处在转型的当口。

索 霍 区

▲索霍区的夜晚。

让我们结束在伦敦中心的行程，穿过索霍区到达皮卡迪利区。索霍区的名字从"嗖……嚯……"而来。中世纪时，这片区域在城墙外，是一片露天的田野，"嗖……嚯……"是当时的一个狩猎幸运口号。英国国王亨利八世经常造访这片狩猎区。

这样的起源明显与今天我们所看到的现代社区没有关系。我们可以定义这个社区为一个各条狭窄街道圈起的范围清晰的区域——北面是牛津街；南面是莱斯特广场；东面是查令十字街，西面是摄政街。

毫无疑问，这是伦敦市中心最幽暗的社区，与城市的"地下历史"联系最为紧密，总之，这个社区总是和夜晚还有性联系在一起。不光过去，现在混乱的街头也依然充斥着向往夜生活的当地人。这个小社区里到处都是酒吧、舞厅、性用品商店。从许多年前开始，游客成了这些店的主顾，因而，在那里即使只是喝一杯啤酒价格都高得惊人。

然而，这些街道中隐藏了许多的秘密，因此，迷失在这些街道中也算是一桩乐事。应该注意的是，从1700年第一批欧洲难民（尤其是法国新教徒）潮涌而入开始，这片区域就被打上了移民的标记。移民聚居的特点和这片区域本身的特点之间的碰撞和对比让这个城市拥有了某种混乱的美。从18世纪开始，希腊人、意大利人和中国人（人数最多的群体）陆续抵达了这个地区，到了20世纪，欧洲的移民持续涌入。走在旧康普顿街上，看着街边各式各样的商店，人们就会了解索霍区人群的多样性。

◀旧康普顿街附近的朗尼·斯科特俱乐部。

索霍广场和中国城这两个地方形象地展现了不同人群的差别。

索霍广场是一个存在至今的历史遗迹，提醒着人们1681年这片社区最初建成时的辉煌。其实，索霍广场在最初几年被称为是国王广场，因为广场上有一座查尔斯三世的雕像。从18世纪起，随着社区的衰退，广场失去了其原有的光辉。现在，广场挤在一堆办公楼中间，为散步的人们提供一个休憩的地方，也为伦敦保留了一片模糊而充满魅力的大自然景色。从这里，我们出发去伦敦的中国城。中国城面积不大，包括了杰拉德街和街周边的一些地区。中国人从19世纪初开始出现在伦敦，他们最初定居在伦敦西区的码头附近。从19世纪50年代中期开始，这里渐渐形成了我们今天看见的中国城，各种色彩和

◀弗里斯街露台。

索霍区另一个吸引人的地方就是居住过众多的名人。

莫扎特从孩童时代起就居住在弗里斯街，当时，他的父亲带着他和他的兄弟在半个欧洲巡回，向人们展示莫扎特早熟的天赋。卓别林曾住在莱斯特广场附近。滚石乐队的雏形诞生于布洛德维克街7号。吉米·亨德里克斯在弗里斯街上的朗尼·斯科特俱乐部举办了他最后一次音乐会。被驱逐出德国，卡尔·马克思和他的家庭在1851年定居在了迪安街28号。马克思一家在恩格斯的接济下艰苦地生活了6年，与此同时，马克思在英国博物馆的图书馆中进行了漫长的学习和研究，最终完成了他的著作——著名的《资本论》。

▼索霍广场。

▲ 中国城中的招牌。

香味的混合碰撞是中国城的一大标志。中国城广告和招牌上的汉字（表意文字）特点鲜明，让人一看就觉得进入了另一个城市，到了另一个国家。中国城的春节庆祝活动尤为著名——社区家家户户张灯结彩，一月底二月初的杰拉德街淹没在各种色彩中，街上还会有一些东方的庆祝活动，如舞龙等。

▶ 旧康普顿街。

索霍大熔炉

　　伦敦索霍区集中了这座城市各种不同的元素，从热闹的酒吧到丰富有趣的夜生活以及各个种族的混合，可以说是包罗万象。

　　中国城比我们想象的要小很多，而且到处都是充满异域风情的东方餐厅，如越南餐馆、日本料理和韩国料理。

伦敦圣母院和皮卡迪利区

▲伦敦圣母院的圣堂和圆屋顶。

这片区域另一个不能错过的游览地就是伦敦圣母院。圣母院坐落于莱斯特广场，在1855年前曾是一个剧院。这座昏暗的天主教教堂本身并不特别，但是教堂内部却保存了一幅描述耶稣受难记的壁画，由充满争议的画家让·考克托所作。画家柔嫩的笔触和所采用的自由艺术风格非常特别地表现出了耶稣的腿部，使这幅画作独树一帜，画作中两位守卫十字架的士兵在表现画作美感方面起了主要作用。

皮卡迪利区

接下来，我们就到了皮卡迪利地区。对于"皮卡迪利"这个名字的由来充满了争议。其中，最有趣的版本（同时也是从历史上讲最不可信的版本）是，曾经有一个古老的修道院，伦敦人经常去那里忏悔自己犯下的"小过错"。

最广为认可的由来是说，这片区域最早的居民之一，罗伯特·贝克，是一个裁缝。他靠售卖"皮卡迪利"（一种衣领处使用的颈部饰品）致富。这种饰品在16世纪末到17世纪初十分流行。

皮卡迪利区的爱神塑像十分著名，它不是一座颂扬性爱的爱神塑像，而是理想主义雕塑家阿尔弗莱德·吉尔伯特为了表彰沙夫茨伯里的仁慈精神而建的。吉尔伯特设计了一个铜制的喷泉，其上有一座铝像，这可以说是一种真正的革新。因为在那之前，从来没有人用金属制作过雕塑。1893年6月23日，喷泉开幕，然而，建筑师将水作为作品主要元素的构想却被否定了，因为市政府不希望喷涌出的水柱溅到公路上。因此，吉尔伯特的天使，本来应该蒙在水帘中被人们欣赏，现在就只能兀自地悬在城市的半空中了。

当地媒体对雕塑家最终的作品进行了毁灭性的批评，这让雕塑家更为沮丧。不过，作品问世后却得到了民众的认可，甚至最后这座建筑成了伦敦的标志之一，尽管已经基本没有人记得可怜的沙夫茨伯里了。

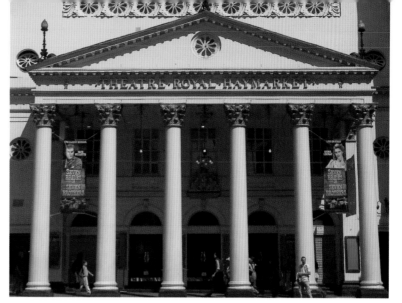

▲都市曾经的标志——爱神塑像。　　　　　　　　　　　　　▲皇家剧院。

　　在附近的亥马科特街上,我们可以看到约翰·纳什留下的美丽的建筑足迹:皇家剧院。尽管时光流逝,周边的事物发生了不少的改变,然而剧院正面却保持原样不变——门廊上依然竖立着六根刚玉石柱。

　　如今的皮卡迪利区已经和纳什的都市梦不再有关联,而是在经济学家的建议下进行了改建,这样的改建却给皮卡迪利区留下了数不尽的商业展览馆和交通困扰。实际上,几十年前起,爱神塑像就不是皮卡迪利区的标志了,取而代之的是朝向索霍区那一片高度集中的霓虹灯商业广告。夜幕降临,这些色彩各异、闪闪烁烁的霓虹灯使城市和游客们眼花缭乱。

▼皮卡迪利区闪烁的广告牌。

游览维多利亚区——从议会大厦到贝尔格拉维亚

从议会大厦到贝尔格拉维亚的游览路线

（景点后的括号内为建筑的位置）

- 怀特霍尔街
- 林阴大道
- 白金汉宫（白金汉门路）
- 议会大厦和大本钟（布里奇街）
- 议会广场
- 圣玛格丽特教堂（布里奇街）
- 威斯敏斯特教堂（阿宾登街/维多利亚街）
- 维多利亚街
- 圣约翰教堂（史密斯广场）
- 泰特美术馆（米尔班克）
- 贝尔格雷夫和皮姆利科（贝尔格雷夫广场）
- 威斯敏斯特大教堂（维多利亚街）
- 海德公园角（骑士桥街）
- 格林公园

▼这座铜像描述的是英国的战争女王对阵罗马军队的情景。

　　我们离开包迪西亚女王的雕像前往大本钟脚下。包迪西亚女王在60岁时与罗马人进行了她人生的最后一场战役。她的名字在凯尔特人的语言中等同于现在的维多利亚，即胜利的意思。

　　包迪西亚是科尔切斯特的凯尼部落的女王，然而罗马人却不尊重他们的传统——王位由公主而不是王子继承。面对包迪西亚的不满，罗马人对包迪西亚和她的女儿们使用了暴力。因此，凯尼人摧毁了科尔切斯特，并且使罗马军队损失了九分之一的士兵。之后，凯尼人前往伦敦（已被罗马人占领），在那里，凯尼人同样痛击了罗马军队，但是，他们并没有乘胜去追击逃兵，包迪西亚女王和她的军队决定不与罗马军队硬碰硬，然而就是这样的一个决定使得罗马军队得到机会重新攻占了伦敦。包迪西亚女王的失败意味着西方母权制度的衰落。

威斯敏斯特教堂和议会大厦已经成了伦敦的两个标志。大本钟是伦敦最著名的形象标志，而威斯敏斯特教堂则见证了伦敦大部分的历史事件。

从伦敦建成起，威斯敏斯特区和伦敦老城就构成了城市人口的核心之一。今天要向大家介绍的是伦敦的政治中心和经济中心。

最早的威斯敏斯特区的中心是威斯敏斯特教堂。威斯敏斯特教堂可以说是伦敦最高的精神象征。英国所有的国王、女王(除了孩童时期被暗杀的爱德华五世和退位的爱德华八世之外)的加冕仪式都是在威斯敏斯特教堂中进行的。教堂建在英国权力机构的中心：对面是议会大厦，与怀特霍尔街相邻，离白金汉宫也不远。政治、宗教和王权是一切的根本。

怀特霍尔街

怀特霍尔街是一条连接特拉法加广场和议会大厦的大道。当我们走在这条街上时,我们首先看到的就是查尔斯一世骑马的塑像,这座雕像背后也藏着一段令人好奇不已的历史。国王被处决后,克伦威尔把这座塑像当废铁卖了。一个叫约翰·里维特的人买下了这座塑像,并且靠这座塑像赚了一大笔钱。他出售各种金属制品(从勺子到枝形烛台应有尽有),并且宣称说这些产品都是用塑像的金属材料制成的。之后,皇室复辟,那个里维特就搬出了那座塑像本尊,并将它卖给了新王朝。里维特"一女嫁二夫"的生意经使他的奸商本性载入了史册。

▼ 查理一世骑马的塑像;背景是大本钟。

伊尼戈·琼斯

建筑师、画家和舞美设计师。他将古典主义风格引入了英国大师级建筑中,如女王馆、怀特霍尔宫、女王教堂和圣保罗大教堂。

街的右面满是官方建筑和行政楼。最吸引人的是禁卫骑兵队。骑兵队所在的地方在亨利八世时期举办过许多次中世纪式的马上比武,而那里后来成为了怀特霍尔宫卫队主力的所在地。怀特霍尔宫现在已经不存在了。

每天上午11点禁卫队都会进行换岗仪式,下午4点骑兵队也要进行下马仪式,这些就像画面一样整齐美丽。对于大多数人而言,上午的禁卫队换岗仪式比邻近的白金汉宫的换岗仪式更加色彩鲜明,同时也更为亲切。

钟楼下广场的中间有一条通道通向皇家骑兵卫队阅兵场。阅兵场是一片宽阔的场地,面朝圣詹姆斯公园的东部。每年六月初女王生日的时候,阅兵场上都会进行皇家军队阅兵仪式,供女王检阅。

▲ 宫殿前的禁卫队换岗仪式。

在街的南面，我们可以看见唐宁街10号到12号的背面。唐宁街10号到12号就是著名的英国首相的寓所。唐宁街得名于充满争议的乔治·唐宁爵士。他曾是议会的牧师，而当他意识到皇室的复辟不可逆转地迫近时，他就转而投身了君主制的事业。他获得了成功，并且拥有了财富，这使他得以在怀特霍尔区购置土地、建造房屋。

1732年，乔治二世将唐宁街10号作为私人礼物赠予了罗伯特·沃波尔爵士。沃波尔爵士是历史上第一个担任我们现在意义上所说的首相职务的人。这座传统的首相寓所最值得人们关注的是，通常世界上重要人物的官邸都十分富裕华贵，而唐宁街10号看上去却十分平常，门面朴素。通往大街的出入口被一道栅栏挡住了。爱尔兰共和军曾试图从栅栏处用迫击炮弹攻击前首相约翰·梅杰。

在街的对面，我们可以看见怀特霍尔区最有趣的一幢建筑，国宴厅。国宴厅由雅各布一世委托伊尼戈·琼斯所建。伊尼戈·琼斯是一个出身卑微的建筑师（父亲是个毛纺业主），但是他却一步一步成为伦敦最受人尊敬的建筑师之一。

▶ 查理一世骑马塑像，背景是圣马丁教堂塔楼。

DOWNING STREET SW1

CITY OF WESTMINSTER

国宴厅的设计受到了建筑师对罗马古典主义风格研究的影响,建筑的尺寸、规模经过了严格的数学计算,最后的建筑是百分百的意大利风格。国宴厅在1622年建成,同时也是1698年大火烧毁怀特霍尔宫后唯一幸免于难的建筑。

国宴厅的装潢从内部到外部,从下到上分别交替使用爱奥尼亚式样和科林斯式风格。建筑的正面外墙是用石料建的,屋顶四周的栏杆同样也是用波特兰石料建的。之所以要使用这些石料,应该是想使国宴厅与相邻的都铎皇宫的红砖和木材料产生强烈反差。国宴厅的内部最引人注目的是大厅的天花板,天花板上装饰有鲁本斯的画作。据说,鲁本斯为此获得了3 000英镑(大概有所夸张)和一个骑士爵位。

在不久后的1649年,奥利弗·克伦威尔和他的议会党获得了政权,国宴厅就成了一个悲剧发生的现场:大法院对查理一世进行审判后,在国宴厅旁竖起了一个断头台。为了避免引起可能的骚动,绞死国王的断头台并没有被设立在塔山。在国宴厅旁,就在离查理一世钟爱的画作和他最欣赏的建筑不到几米远的地方,斧子在查理一世的脖颈上落下。在查理一世被处决的20年后,查理二世选择在同样的地点举办皇室复辟的庆祝活动。除了对公众开放以外,国宴厅现在仍然行使其官方行政的职能。

继续向下走,在唐宁街中点,我们可以看到和平纪念碑,这座碑是为了纪念在两次世界大战中遇难的英国人。

纪念碑最初设想用石膏浇铸,以纪念1919年7月19日的盟军胜利大游行,但后来人们决定用波特兰石料重建这座纪念碑以纪念停战周年纪念日。每年11月的第二个星期天被定为一战休战纪念日,那天,英国女王和国家的重要人物以及军队的代表都会在纪念碑前献花。

▼用栅栏封住出入口且警卫森严的唐宁街。

▼唐宁街。

和平纪念碑

和平纪念碑是一座墓碑，用来纪念某个人或某次战役等，其中最著名的就是伦敦的和平纪念碑，由爱德温·路特恩斯爵士所建。

纪念碑上除了侧面的花圈或花环外没有任何其他装饰，碑上刻着"光荣的逝者"。

通常军人经过纪念碑跟前都会停下并致敬。

走过和平纪念碑后，在我们的右边有一条与唐宁街平行的街道——查理街。在街道旁那些威严的行政设施中，有一座丘吉尔博物馆和内阁战情室，战争时曾是一座组合的掩护建筑，前首相温斯顿·丘吉尔就是在那里指挥战争和领导英国整个国家的。战争期间，在内阁战情室的大厅中，召开过一次又一次的部长和军官会议。

毫无疑问，这座掩护建筑最让人感兴趣的还是内部的房间。内阁战情室的会议室现在依然维持着盟军胜利时的样子，寝室、跨大西洋电话室（丘吉尔曾在这个房间里与美国白宫直接连线通话），还有在纳粹德国空军的炸弹如雨点般落下时，丘吉尔录制动员全国人民的广播演说的房间，都保留了原状。

怀特霍尔街最后延伸到了议会广场。议会广场无疑是英国众多重要建筑的集中地。然而，在我们畅游议会区之前，我们可以先走一下另一条通向议会广场的岔道，这条岔道从林阴大道起始直到白金汉宫，从伯德凯奇街环绕圣詹姆斯公园而过。

▶ 内阁战情室。

林阴大道

林阴大道由阿斯顿·韦伯爵士设计，它是一条宽阔的通向白金汉宫的道路。这条庄严的大道是为赞颂维多利亚女王而建的工程的一部分，包括了1910年建成的海军部拱门。海军部拱门是一组连接特拉法加广场和林阴大道的三重石质拱门。

沿着林阴大道走不久，右边就会出现卡尔顿宫露台街。那里宏伟的白色建筑起初是作为大规模的私人寓所，现今是崇尚先锋派艺术的伦敦当代艺术学会的所在地。

左边是圣詹姆斯公园。公园最初是小詹姆斯医院的一片湿漉漉的草坪。亨利八世将这片草坪干燥后把它并入了自己皇宫的花园中。从此，那里就成为宫廷美丽的休闲场所之一。

查理二世参考法式花园重新修建了这座公园，他将重修的任务交给了路易十四的园丁勒·纳特亥，后者将圣詹姆斯公园变成了当时的时尚汇集之地。后来，乔治四世任命约翰·纳什将公园改回原来的"英国面貌"。在几次的重修和改建中，最具意义的成果是开挖了一片横穿公园的湖泊，在湖泊上还修筑了一座桥，游人可以在这座桥上欣赏到公园最美的风景。

北岸有一条为纪念戴安娜王妃而建的走道，即戴安娜王妃纪念环道。在林阴大道的尽头，矗立着维多利亚女王纪念碑。这座纪念碑让人联想到了阿尔伯特纪念馆，它结合了维多利亚时期建筑的宏伟特点和理想主义风格。纪念碑的底部是一个大理石喷泉，喷泉中有一个基座，基座上有一座胜利

◀ 海军部拱门。

▲圣詹姆斯公园，背景是伦敦巨眼摩天轮。

女神金色塑像；在胜利女神的脚下坐着两个侍从，分别象征永恒和勇气。

在基座朝向林阴大道的一面，我们可以看见大理石的维多利亚女王塑像。在基座的其余几面我们可以看见象征真理、母性和公正的雕像。在纪念碑的四周，还有其他一些铜制的塑像，代表着军权、工业和农业等。

▶维多利亚女王纪念碑。

白 金 汉 宫

　　庄严的白金汉宫正前方矗立着维多利亚女王纪念碑，宫殿的背后有几个私人花园，环境与毗邻的格林公园相似。白金汉宫得名于白金汉屋。这座端庄的府邸于1703年为白金汉伯爵约翰·舍费尔德而建。

　　白金汉屋于1762年由乔治三世购得，之后，他的儿子乔治四世进行了一系列扩建和翻修工程，使其成为今天我们看见的白金汉宫。府邸的改建委托老宫廷建筑师约翰·纳什进行。完工之后，府邸最终更名为白金汉宫。对于这座新建筑，人们并没有多加使用，直到维多利亚女王登上王位后，将其确立为宫廷的官邸。1846年，宫殿的左翼建成，这就使得白金汉宫成了四方形建筑。

　　朝向林阴大道的白金汉宫正面外墙一度被认为太过寒酸而用波特兰石料重修过。飘扬在宫殿上方的皇室旗帜表示女王正在宫中。在特殊场合，女王还会从白金汉宫的阳台向大不列颠人民致意。宫殿前广场由身着制服的皇室卫队的哨兵巡逻守卫。制服为招牌式的红色，并配有贵重的熊皮帽子。正午时，如果天气允许，广场上就会进行著名的卫队换岗仪式。在半小时的军乐伴奏下，新卫队与完成服务的旧卫队在众多游客面前根据指令精确地完成换岗工作。

　　宫殿的内部直到上世纪90年代初才对公众开放。从那时起，人们可以参观一部分白金汉宫的附属建筑，此举显示出了皇室的一种姿态：既想通过亲近民众来巩固君主立宪制，又希望借此为重建温莎城堡筹集资金——温莎城堡在1992年曾遭遇一场灾难性的大火。

　　▼白金汉宫。

从建筑学的角度说，白金汉宫并没有特殊价值。不同的是，那里的一切——无论是装饰丰富而又庄严的房间、镶板平顶、讲台、浅浮雕还是家具、闪耀的各种色彩以及大量的装饰都一次又一次地提醒着我们这里居住者的身份。纳什装饰的蓝色客厅的天花板、格鲁吉亚巴洛克风格的皇室舞厅、或是那七盏奢华的灯以及御座室内大理石柱上绘制的玫瑰战争的情景都是参观者可以欣赏的一些重要元素。

宫殿建筑内还有另外两处对公众开放：女王美术馆和皇家马厩。两处在白金汉门路上都有独立的入口。白金汉门路沿着皇室寝宫通往南面。

女王美术馆在一栋小型建筑内，最初是暖宫。第二次世界大战时遭到了毁坏，人们对建筑进行重建后向公众开放，展示精选出的皇室收藏，如绘画、图片、家具和艺术品等。皇家马厩，即皇家马厩和车场，其中安置着皇室官方出行时使用的马匹和豪华马车。其中比较特别的有一辆金色的豪华四轮大马车，从乔治三世起，每一次的加冕仪式上皇室都使用这辆车，另一辆是维多利亚女王购买的在议会大厦开幕时使用的马车，还有一辆是乔治五世购买的玻璃马车。

▲白金汉宫正门的局部。

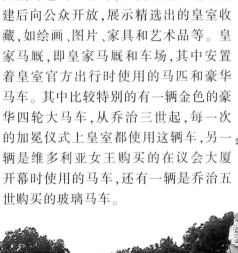

▲皇室卫队。

让我们回头重新走到伯德凯奇街,这条街和林阴大道一样,从圣詹姆斯公园侧面通过。伯德凯奇街之所以叫这个名字是因为当时查理二世将圣詹姆斯公园向公众开放后,又在公园的南部放置了一个鸟笼(注:英语中,鸟笼的读音近似于"伯德凯奇"。),以供散步的人取乐。在街上走不久,我们就能看见惠灵顿军营,那里是皇室卫队五个团的大本营。在军营最东面的边上就是皇家军事教堂或者叫卫队教堂,从1838年开始对公众开放。1944年一个黑暗的星期天,教堂里满是早晨做弥撒的教民,而这时一枚炸弹落在了教堂上,摧毁了教堂,有121人遇难。教堂的圆屋顶和马赛克工艺却奇迹般地逃过了这一劫,在爆炸中留了下来。

继续向东走就到了安妮女王之门街的路口。这条街上有一整排的19世纪初建的房子,同时也是那个时期的建筑中保存最好的一部分。就在那片区域,还有一座女王的塑像。塑像已经静静地站在那里3个世纪了。

圣詹姆斯公园的尽头就是伯德凯奇街的尽头,从那里开始乔治大道又延伸出一条新的直线,越过议会广场后,一直延伸到跨越泰晤士河的威斯敏斯特大桥。议会广场和泰晤士河中间就是议会大厦和大本钟的所在地。

皇室卫队换岗仪式

传统的白金汉宫皇室卫队换岗仪式从1660年起,除了冬天和雨天,每天举行,持续45分钟。在冬季和下雨的日子里,换岗仪式隔天举行。

卫队换岗仪式是一场有戏剧色彩的乐队伴奏的列队游行,它永远都拥有着热烈追随的围观游客。

议会大厦和大本钟

　　英国议会大厦和举世闻名的大本钟是大火后在威斯敏斯特宫地区建立起来的。大火烧毁了威斯敏斯特宫,只留下了大法院和珠宝塔孤独地站立在那里。

　　尽管很多人都会误会,但是英国议会大厦确实不如它附近的教堂那样古老。英国议会大厦是新哥特式的,是19世纪的特色,仅有大法院的一部分背负着沉重的历史。起初,大厦只是一座用白色卡昂石建起的结构简单的建筑,采用诺曼底建筑风格。14世纪末,人们给建筑加盖了一个栎木制的屋顶,英国的手工业传统也从此开始。

▲ 英国议会大厦。

　　几个世纪以来,大法院有两个主要功能:一个是这座建筑一直作为英国国王和皇后(也包括温斯顿·丘吉尔)的灵堂,另一个是它作为法院的功能,那里进行了很多历史上著名的审判,比如威廉·华莱士、托马斯·摩尔或查理一世的审判。从外观上看,建筑师巴里在亨利八世的灵堂和威斯敏斯特教堂的基础上设计了这座哥特式的建筑以规划议会,最后呈现的效果让人们看到了建筑从维多利亚时期风格过渡到过度装饰的趋势。

　　由于建筑采用了中世纪都铎王朝的建筑风格,有些过于繁琐,装饰过多,这就使得它在视觉上过于饱和。但是,建筑石材独特的颜色和当太阳从不同方向照射时建筑所展现出的不同色调无疑是建筑的巨大成就。

　　建筑正面朝向泰晤士河的水平线,看上去就像被众多塔尖切断了一般,有两座塔高出其他塔尖一大截。

▲从兰贝斯大桥上看到的埃尔伯特筑堤。

议会大厦的西南面是维多利亚塔。

大本钟

议会大厦的另一头是整座建筑最重要的元素——大本钟。这座钟塔不仅是伦敦的象征,同时也是英国这个国家的标志。大本钟的名字最初与"钟"无关,指的是那五个钟状物中最大的一个(约有14吨重),由此产生了歧义。

关于大本钟的由来最知名的版本与本杰明·霍尔爵士有关,1858年钟塔建成时,他是工程的负责人。另一个猜测就更加有趣,更吸引人了,说是钟塔的名字是为了向本杰明·康特表示敬意。本杰明·康特是一个拳击手,他42岁时参加了一次比赛,在那次比赛中,他与对手内塞尼尔·朗汉大战了60回合,令人难以置信。

珠宝塔是维多利亚塔对面的最后一座塔,是中世纪威斯敏斯特宫的遗迹之一。这座矩形的低矮建筑是爱德华三世时期的司库室,国家的出纳处。建筑的墙壁成为保护国王金银珠宝的保险柜。从1547年开始,爱德华四世将塔内的皇室珠宝取出分散摆放,于是,几个世纪以来,珠宝塔又承担起了其他的职责。如今,珠宝塔成为一座庄严的博物馆,其中陈列着有关珠宝塔和其周边建筑历史的物件。

从珠宝塔内存放度量标准起到如今,塔内的一切当时当代的事物渐渐成为威斯敏斯特宫的遗迹。

有一部分留存下来的中世纪壕沟值得人们一看。另外还有一柄撒克逊宝剑也十分珍贵(1948年人们开挖议会大厦周边地区时将这柄宝剑挖掘出土)。

▶旧切尔西教堂前的托马斯·摩尔的塑像。

盖伊·福克斯日

11月5日是盖伊·福克斯日,在这一天,人们发现了盖伊·福克斯的阴谋。他在议会大厦地下室安放了36桶火药,计划炸飞议会大厦,11月5日,他的阴谋败露,人们就将这一天定为"盖伊·福克斯日"。

在11月5日这一天,人们燃放烟花、爆竹,纪念议会地下室那些从不曾被引爆的炸药。

因为"盖伊·福克斯日"与万圣节离得很近,在美国,人们就将这一天的活动并入了万圣节的庆祝活动中。

议会大厦的内部有1 000多个房间、100座楼梯、11个室内小院和3 500多米的走廊。1852年,维多利亚女王第一次启动了议会大厦和相关设施的使用。

总体上说,英国议会分为下议院和上议院。下议院在议会大厦的北部,特点是其内部的坐椅都是绿色皮革制的。左边是政府成员的座位,右边是反对党的座位。两部分座位的中间是主持人的席位,主持人负责会议各项进程的进行。下议院的设计以威斯敏斯特宫之前的圣史蒂芬圣堂的平面图为基础,三个世纪间议会都在那里举行会议。

上议院在议会大厦的南部,是整座大厦装潢最考究的一部分,它将歌特式建筑风格发挥到了极致:里面配有红色皮革制双人坐椅以及为首的大法官的坐椅。

因为安全需要,议会大厦严格限制人员出入。不过,人们可以通过装甲玻璃来旁听下议院和上议院的会议、辩论。如果想要参观议会大厦里的重要房间,需要预约一位向导。

历史上,议会大厦与一个名字相联系:盖伊·福克斯。盖伊·福克斯是一个激进的天主教徒,并且策划了著名的"火药阴谋事件"。他企图用炸药将英国议会大厦炸毁。

▼议会大厦和大本钟。

盖伊·福克斯原计划攻击国王雅各布一世和他的部长，以报复他们对英国天主教徒的追捕。袭击计划包括：在议会大厦对面租用一个地下室，然后挖通一条地道并将20来桶混有碳和柴火的火药放在议会大厅的地下。1605年11月5日，盖伊·福克斯的阴谋败露，他本人也被逮捕，接受了审判，并且，就在议会大厦前被处死。从那时起到议会大厦开幕，大厦的地下室都由英国皇室持戟卫队把守，当然，这样的形势更接近于英国传统，而不全是为了防备弑君者。

▲大本钟。

▼珠宝塔。

议 会 广 场

温斯顿·丘吉尔

温斯顿·丘吉尔是英国前首相，学习研究军事，曾是战争时的通讯员。因为其在第二次世界大战中对抗纳粹德国的功绩而被人们铭记。

▲议会广场上的丘吉尔塑像。

参观完议会大厦后，我们又重新回到了议会广场。从几十年前起，议会广场就是伦敦交通最繁忙的中心广场之一。在广场上，我们还可以看到一系列纪念大不列颠历史上著名的军事家和政治家的塑像，不过，其中还有一座外国人的塑像，那就是亚伯拉罕·林肯。这座雕像是1920年美国政府赠予英国的圣高登斯作品的复制品。

在所有的塑像中，温斯顿·丘吉尔的塑像无疑是最突出的一座。在丘吉尔诞辰百年的时候，塑像被摆放在了那里。如果人们去查看现存的关于丘吉尔的图片资料，就会发现塑像与丘吉尔本人当时的相貌十分吻合，显出一副严峻的、不合群的表情。一直以来，这座塑像有两大敌人，一是鸽子和鸽子的粪便；二是一些破坏者。

为了防止鸟类破坏和胆大的人的触摸，人们在塑像上安装了各种设备，包括一种电气设备。然而，一切都不能阻止欧洲的主要报纸以头版报道几年前一次轰动一时的对前首相丘吉尔塑像的破坏活动——在一次反对全球化的游行中，游行者让丘吉尔塑像的头上好像闪烁着一顶"绿帽子"。

▲议会广场上的林肯塑像。

圣玛格丽特教堂

议会广场的南面(还不到威斯敏斯特教堂处）就是圣玛格丽特教堂。尽管圣玛格丽特教堂被掩盖在威斯敏斯特教堂的阴影下，很容易被人忽略，但是，这座建筑仍然值得人们驻足一看。圣玛格丽特教堂是16世纪哥特风格的建筑,同时,从1614年起,这里也是议会大厦所在教区的教堂。圣玛格丽特教堂蕴藏着许多个世纪的历史,这一点在教堂多次的改建和所呈现出的不同风格中得以体现。

圣玛格丽特教堂一直就在其原址上,不曾移动过。负责教堂改建的建筑师曾经负责改建邻近的威斯敏斯特教堂。圣玛格丽特教堂艺术上最重要的特点在于其祭台上的主色调为蓝色的玻璃窗,上面描绘了耶稣受难记,历史悠久。

这面玻璃是西班牙天主教双王送给英国的礼物,他们的女儿嫁给了亚瑟王子(亨利八世的长兄)。婚礼并没有举行,而这面玻璃本来是应该安放在威斯敏斯特教堂内的,结果却居无定所了很久,直到1758年被最终安置在了圣玛格丽特教堂中。从几个世纪前起,圣玛格丽特教堂就很有名气,因为伦敦最上流社会的名士都选择在那里联姻,举行他们的婚礼,其中包括萨缪尔·佩皮斯、约翰·密尔顿和温斯顿·丘吉尔。

▶圣玛格丽特教堂。

威斯敏斯特教堂

　　圣玛格丽特教堂背后就是著名的威斯敏斯特教堂。布罗德萨克图阿里街从议会广场开始，延伸到威斯敏斯特教堂的入口。教堂的大部分建筑可以追溯到13世纪，该教堂也被认为是基督教世界众多哥特式教堂中最美丽的教堂之一。教堂一开始是由忏悔者爱德华建于11世纪。爱德华的父亲是英国人，母亲是法国诺曼底人。在创建了一个主要由法国僧侣组成的文人中心后，爱德华开始对伦敦进行文化侵略。在他的表兄诺曼底公爵威廉的帮助下，爱德华成功夺得皇位。摆放爱德华的尸骨的灵堂和棺木就在一个13世纪的圣物箱中。那个圣物箱在教堂主圣堂背后，中世纪时许多朝圣者都来此觐圣。

　　亨利三世从1245年开始对这座新建筑进行修建。这座新建筑有很明显的法式哥特建筑风格，但修建工作直到150年后才完工。亨利三世逐步将之前的罗马教堂拆毁，并加入仿法式的元素（这和教堂的建筑师，来自法国兰斯的亨利有关），比如很高的有很多装饰的多边形穹顶和辐射状的祈祷室等。

　　教堂的中殿很窄，长度和高度都是10米，让参观者觉得唱诗班和穹顶离得那么近。

　　教堂采用的是绚丽的哥特风格，有高起的穹顶，上面有十字架，还有坚固的大理石石柱。从外部看，有一些分散中殿重量的拱扶垛。

　　亨利七世不凡的灵堂是垂直建设的，是绚丽哥特风格的一个英式变体。教堂巨大的窗户是为那些外部的壁柱而建的。这些壁柱帮助外墙支撑起屋顶；唱诗班坐椅镶板上和教堂扇形穹顶上雕刻的图画十分壮观。

◀威斯敏斯特教堂的外墙。

▲威斯敏斯特教堂内部。

　　坐椅上的徽章展示了最初巴斯勋位的盾牌。这些盾牌十分奇特有趣。拱顶的特色在于，那些高石柱的顶端分叉，留出的空间里陡然多出很多随意的线条，这些线条交汇在角状的石材上，成为复杂的建筑结构上的一种轻快的装饰。"细腻得极其美妙，又如蛛网织的布一般轻巧坚韧。"——天才作家华盛顿·欧文如此评论。

　　了解教堂建筑的复杂性和风格的多样性(建筑汇集了哥特风格发展的三个阶段)后，人们就会注意到西面外墙处的双子塔设计是多么的有创意，既显得规模庞大，又没有破坏教堂其余部分的哥特风格的统一性。

　　从装潢顺序上可以明显看出各个时代和各种风格叠加的痕迹，而最后的一些重要建筑元素的添加完成于19世纪。爱德华·布罗尔制作了教堂中殿内部的栅栏和宏伟的唱诗班坐椅结构，都是用鲜艳色彩装饰雕刻的维多利亚哥特式作品。设计精巧的主祭坛和祭坛装饰由乔治·吉尔伯特·斯考特爵士设计，他在设计中加入了圣彼得、圣保罗、摩西和大卫的木制人像，还加入了萨维亚蒂的马赛克作品《最后的晚餐》。在教堂西门上，我们可以看见教堂最后购置的一些物件：1998年放置在教堂中的20世纪殉教者的石像。其中最重要的一座应该就是美国演讲家马丁·路德·金的塑像了。

▶威斯敏斯特教堂西面外墙局部。

如果有什么可以定义威斯敏斯特教堂的精髓，那应该就是教堂和死亡的联系了。实际上，教堂最重要的元素就是葬礼的古迹，多亏了有一系列从13世纪到现在最重要的英国雕塑的收藏，才使得那些葬礼的画面逃过了亨利八世和爱德华六世统治时期的破坏。

威斯敏斯特教堂同样也是英国皇室王位加冕仪式的总部，这就帮助教堂逃过了15世纪的劫难——当时，亨利八世下令拆毁修道院建筑。

从爱德华一世起，教堂中就开始使用一把加冕宝座。加冕宝座由著名国王画像师沃尔特用栎木制作。1297年征服苏格兰后，沃尔特接到了建造宝座的任务，他还在坐椅下设计了一个隔间来摆放一块被称为"司康石"或"命运之石"的圣石，这块圣石是英国从苏格兰夺取的战利品。在石头上刻着威廉·华莱士爵士的名言：在这块石头上的人将成为苏格兰的主人。

◀牧师的庭院。

英国的珍宝

威斯敏斯特教堂和大本钟是所有英国人认同的英国精神象征之一。教堂每天迎来大批的参观者，有游客，也有信徒。1997年在戴安娜王妃的葬礼后，这里的游客增加到了原来的三倍。

威斯敏斯特教堂内部

通过教堂的一个个殿堂，我们就像是走过了英国的历史。

▲威斯敏斯特教堂内部——文化中心，访客被禁止进入。

"无名战士"，是一个不被大家知道名字的军人，他的坟墓同时也用来纪念第一次世界大战中去世的几十万遇难者。

教堂十字标的南面是著名的"诗人角"。在14世纪的壁画的包围下，莎士比亚、柯尔里奇、华兹华斯、拜伦、狄更斯、吉卜林、T.S.艾略特、狄兰·托马斯和亨利·詹姆斯等人都长眠于此。

还有两座为斯坦霍普伯爵一世和牛顿设立的纪念碑。在牛顿的纪念碑附近，还有另一些伟大的科学家的墓碑，如凯文、达尔文和卢瑟福等。此外，还有像法拉第等一些其他科学家的，虽然没有纪念碑，但是有他们的纪念铭牌。

最令人印象深刻的是南丁格尔夫妇的陵墓。受伤的妻子躺在丈夫的怀中，丈夫希望将妻子从死神手中留下。

教堂十字标的北面是"政治家走廊"，那里纪念的是英国政治家。其中包括了自由党和保守党的首相：格拉德斯通和迪斯雷利。

在教堂的最东面是皇家空军礼拜堂，用来纪念那些在英国战役中牺牲的英国空军战士。这里还有克伦威尔和他三个代理职务官员的牌位，在皇朝复辟前他们都被埋葬在这里，遗体向公众开放展出。

教堂花园

这座教堂花园背后的近900年的历史让它毫无疑问地成为大不列颠最古老的花园之一，也绝对值得人们游览其中。教堂另一个知名的花园是学院花园，因为离威斯敏斯特学校很近而得名。威斯敏斯特学校是一个古老的见习修士的神学院，也是英国女王伊丽莎白一世建造的英国最早的公立学校之一。除了教室里走出的众多名人之外，更重要的是，这座学校最初是威斯敏斯特教堂的一部分。

▲西面外墙局部。

另一方面，威斯敏斯特教堂也是大多数君主的长眠之处，比如说，有亨利七世的灵堂，那里安放着亨利七世和其妻子的遗骨。教堂里还安放着雅各布一世、爱德华六世和乔治二世的遗体。另外，乔治二世的妻子卡罗琳娜也被埋在那里的一个没有碑文的墓穴中。

入口不远处有一个楼梯可以将我们带到另一个灵堂：伊丽莎白教堂。不远处，伊丽莎白教堂的最东面是"无辜者园地"。那里有一个小石棺，人们通常认为石棺里是爱德华五世和他的兄弟理查德王子的遗骨。爱德华五世和理查德王子是爱德华四世的儿子，1483年，两人在伦敦塔被杀害。亨利七世灵堂的另一面，南殿中是苏格兰女王玛丽亚·斯图尔特的坟墓，玛丽亚女王被她的表亲伊丽莎白一世斩首。

忏悔者圣爱德华的灵堂中有一个摆放其尸骨的石棺。石棺上的金饰和宝石在亨利八世王朝覆灭时被抢掠一空。灵堂中还有其他国王的墓穴，如亨利三世的墓。

在中殿的南面，和唱诗班相同高度的地方（其实已经在教堂主楼外部了），有个修道院，跟我们之前所参观的教堂相比显得较为简朴。走近这座修道院我们就会看到中世纪的英国修道院的样子。继续向东走，我们就到了另一个独立的入口，通向教堂的另外三个房间。第一个房间是牧师会礼堂，这是一个八角形的房间，该房间在1352~1547年间作为议会代表大会的总部。

紧接着的一间是圣器室。从忏悔者圣爱德华时期开始，那里最初是一个圣器室，供奉着整个威斯敏斯特教堂中历史最悠久的祭坛。房间的入口也是一个重要的诺曼底建筑风格的遗迹。

▶马丁·路德·金像。

维多利亚街和圣约翰教堂

继续行走在米尔班克大道上，我们的左边是维多利亚街花园。那里有一系列的铜像，复制了罗丹1895年在加来创作的《加来市民》。这幅作品表现的是1347年那些眼看着他们的城市被摧毁，向爱德华三世投降的加来市民。

米尔班克大道的另一边有几条街，形成了人们所说的"伦敦的政治区"。这片区域保留了许多18世纪的建筑。英国议会的成员对这些建筑情有独钟，纷纷迁居至此，于是，这片区域就如同英国两党的总部一般。

圣约翰教堂

当然，这片区域真正经典的是圣约翰教堂。圣约翰教堂是托马斯·阿切尔1728年的作品，同时，无可争议的，这也是英国巴洛克风格建筑中最好的一座。十字形的平面设计是教堂的特色之一，此外，在十字的每一个角上都有一座塔楼。教堂的背后还有一段曲折的历史：1742年时，那里曾被用来放牧羊驼，到了1941年，教堂又遭到了德军的轰炸。

现在，教堂里经常举办一些音乐会，因为那里的音响效果十分出色。此外，教堂地下室还经营了一家饭店。

▲《加来市民》。

泰特美术馆

▲ 泰特美术馆——查尔斯·劳斯·维特隆治的作品。

从米尔班克大道沿着泰晤士河向南走，就可以抵达泰特英国美术馆的大门。泰特英国美术馆所在的地方在19世纪初曾是一个监狱。之后，监狱被拆毁，泰特美术馆从1897年起对公众开放。"泰特"这个名字源于美术馆的赞助人，亨利·泰特爵士，一个糖业巨头。从建筑学上讲，泰特美术馆建筑结构工整，却没有太大特色。而美术馆真正的财富在于它的馆藏。

游览泰特美术馆

泰特美术馆拥有最大的英国艺术品馆藏，其中历史最悠久的画作是约翰·贝蒂1545年所作的《戴黑帽的男人》。

除了英国当代艺术的展品外，馆中特别藏有威廉·霍加斯、威廉·布雷克、约翰·康斯特布尔、约书亚·雷诺兹和前拉斐尔派画家的作品，还藏有科泽斯和弗朗西斯·培根的水彩画作。

在美术馆主建筑旁是克洛画廊，其中藏有整个系列的风景画家泰纳的作品。泰纳1851年抵达英国。

1987年，名为"泰特英国美术馆"的新泰特美术馆开幕，而负责建造这座新美术馆的建筑师是詹姆斯·斯特林爵士。美术馆的面积不大，比较狭长，但是，相对于其他举办当代艺术展览的美术馆的简朴而言，该美术馆的特点是，结构复杂，而且，内部色彩丰富。

一个很好的游览建议是沿着泰晤士河将两个泰特美术馆(原来的泰特美术馆和新的泰特英国美术馆)放在一起参观。

在泰晤士河上有一项服务"泰特至泰特"，就是用船在两个美术馆之间接驳。这些船都别出心裁地用当代艺术家达明安·赫斯特所画的圆圈装饰。这条水上线路两岸的码头分别是千禧码头和泰晤士河畔码头，途中停经伦敦巨眼摩天轮。

◀ 狄尔克像。

▶ 泰特美术馆正面。

贝尔格雷夫、皮姆利科和威斯敏斯特大教堂

伦敦的这一片区域与托马斯·丘比特有关。丘比特计划用宽阔的大道和马路将三个广场——贝尔格雷夫广场、伊顿广场及切斯特和朗兹广场,连成一片半月形的区域。

这个计划是一个针对伦敦贵族和富裕家庭的城区扩张计划。丘比特对这片区域的规划及这片区域的优雅和谐的拱形建筑外墙,与皮姆利科区林立的商业大楼形成了鲜明对比。那里有一些街道和建筑由军队建造,是第二次世界大战后政府命令军队建设的住宅区的一部分。

维多利亚火车站周边区域是一个很典型的城市更新的现象——展现了一个20世纪新概念的城市如何覆盖、淹没大部分先前的城区。就这样,位于火车站背后的伦敦最重要的教堂之一,威斯敏斯特大教堂就淹没在办公楼和商业区中间了。

威斯敏斯特大教堂

和泰特美术馆一样,威斯敏斯特大教堂所在的地方曾经也是一座监狱。

红衣主教建议建造一座意大利宫廷式的大教堂,而最后成形的建筑却是一座拜占庭式的。然而,这座教堂所选用的钟楼是以锡耶纳教堂的钟楼作为参照,建得又细又高,还有红砖和白色石头交替制成的饰带。建筑外墙上覆盖有100多种从世界各地运来的不同大理石。

教堂中殿的主要墙壁上有著名的《14十字车站》,由埃里克·吉尔所作。这座雕塑的线条非常轻柔细腻,感觉上更像图画线条而不是雕塑的线条。

令人惊奇的教堂内部

大教堂最令人印象深刻的部分是教堂的内部。教堂内部面积很大,灯光微弱,教堂的殿中有许多小圣堂。最初,人们计划用大理石和马赛克铺设在天花板、墙壁和石柱表面,但是这个计划最终没有实现,教堂的内部从某种程度上讲显得单调、毫无修饰,让人觉得教堂内部可以加入更多吸引人的元素。

▶附近的维多利亚宫电影院。

海德公园角

海德公园角是为纪念惠灵顿公爵而建的。在英国，人们总是称惠灵顿公爵为"钢铁公爵"。

在这里，有三个元素向人们展示了惠灵顿公爵在英国人心目中的重要地位。首先，最明显的就是惠灵顿拱门。现在，这座拱门所在的地方已经成了交通中心的一个安全岛。

惠灵顿拱门1828年由伯顿建造。拱门上曾经有一座巨大的惠灵顿公爵骑马的塑像，1883年这座塑像被撤下，并搬到了奥尔德肖特。从那时起，拱门上就有了一座新的名为"驷马战车"的铜制雕塑，表现了和平从天上降，到达战车上的情景。在拱门旁，有两座重要的纪念碑。纪念碑的旁边有一座惠灵顿公爵坐在马上的雕像，他的手中持有一个望远镜。他胯下的这匹马就是陪同惠灵顿公爵征战滑铁卢战役的战马。

第二个让人们怀念惠灵顿公爵的建筑是阿普斯利宅邸——惠灵顿公爵曾经居住的地方。公爵在滑铁卢战役胜利后购置了这座宅邸，从此这座建筑所在的地方就成了伦敦的"第一地址"——伦敦1号。

游览阿普斯利宅邸

建筑中有10个房间是惠灵顿公爵博物馆，其中陈列有公爵的遗物和好几件战利品。馆中还有数量可观的名画，其中包括一些重要的西班牙画家的作品。

维多利亚战役时，西班牙国王约瑟夫·波拿巴携这些画作出逃，后来，人们将西班牙王位重新归还于他，而他则将这些画作赠予了惠灵顿公爵，以感谢他的政治支持。

▼海德公园角。

阿普斯利宅邸的名师名画

鲁本斯·委拉斯加斯

勃鲁盖尔·牟利罗·戈雅

宅邸内有一座巨大的拿破仑的裸像,是安东尼奥·卡诺瓦的作品。裸像的背后还有一个有趣的故事:从拿破仑下令建这座塑像算起,9年后它才完工。期间,国王迫切想看到雕塑家将自己的形象用希腊风格表现出来。拿破仑希望塑像显得雄伟,而且必须得去除身上世俗的衣物。1811年,拿破仑终于看到了这座塑像,不过,想来当时他一定觉得有些脸红,因为年近40的拿破仑已经失去了同塑像一样完美的身体比例。塑像当时被安置在了卢浮宫的地下室。

法国皇室复辟后,他们将塑像从地下室拿了出来进行拍卖,当时,这座塑像并不为人所知。雷亨特王子买下这座塑像,送给了惠灵顿公爵——拿破仑毫无疑问的头号敌人。

纪念惠灵顿公爵的第三个元素是另外一座塑像,坐落于阿普斯利宅邸的北面,仍在海德公园内。为了纪念惠灵顿公爵这位伟大的战士,理查德·韦斯特马科特负责建造了一座阿基琉斯的雕像。1822年,阿基琉斯像被放在了海德公园内。这座雕塑的一大特色是:建造塑像时用的模具是用12座法国大炮的金属熔铸的。

在一片纷杂的争议中,塑像揭幕了。这座阿基琉斯像是全裸的,下身仅有一片葡萄藤叶遮盖,还有些阴毛若隐若现,这引起了巨大争议。塑像揭幕后,那些早已习惯在海德公园来来回回散步的上流社会贵妇几十年间都无法接受这样令人羞耻的画面,因而养成了一个习惯,每次经过这座惠灵顿公爵的纪念像时都用伞遮住视线。

▼阿普斯利宅邸。

格 林 公 园

从海德公园角出发，我们可以就近去格林公园散步游览。尽管格林公园比海德公园的知名度小得多，但是，这座位于白金汉宫北面的公园却是伦敦树木最葱郁、最有特色的公园之一。

王族非常喜爱格林公园，18世纪爱好争斗的人也对这座公园颇具好感，因为当时人们喜欢在格林公园打斗决一死战。第二次世界大战时，格林公园部分被用来耕作战争粮食。在格林公园和白金汉宫的花园之间，宪法山一直通达我们之前参观过的惠灵顿拱门。在这条道路上，维多利亚女王遭遇过三次威胁她性命的袭击，幸运的是，袭击都被挫败了。

▼格林公园。

绿色的伦敦

喜欢绿色的游客可以在伦敦的市中心找到真正的"绿肺"。

格林公园、圣詹姆斯公园和海德公园联合组成了一片区域,那里人们可以享受清新的空气、享受日光浴,哪怕雾气挡住了太阳的脚步,也一样令人十分享受。

格林公园里花并不多,公园里的草坪、树木才是格林公园名字的由来(注:英语中"绿色"为"Green",读音近似"格林")。

▼格林公园一景。

切尔西区

切尔西区的游览路线

（景点后的括号内为建筑的位置）

- 诸圣教堂（丘吉尔花园街）
- 夏纳步道
- 药用植物园（皇家医院街/切尔西堤）
- 皇家医院（皇家医院街/切尔西桥街）
- 国王大道
- 斯隆广场

切尔西区有许多不同时代的历史建筑和纪念碑。阿尔伯特桥、大卫·怀恩所作的雕塑《男孩和海豚》和三位一体教堂都体现了建筑和纪念碑的多样性。

切尔西地区北面以富勒姆路为界，南面为泰晤士河；东面是斯隆街以及其延伸段切尔西桥街；西面是博福特街。切尔西区是一个相对独立的区域，在被伦敦扩张吞并前，切尔西区是在泰晤士河岸边、与伦敦相邻的平静的小镇，是一个让全城最富裕的人逃离城市喧嚣的胜地。汉普斯特德区和肯辛顿区都有类似的历史背景。切尔西区却用街道将本区和伦敦市中心区别开。

所有人都不约而同地认为托马斯·摩尔爵士是伦敦第一个身份显赫的邻居，同时，也是他让切尔西区赶上潮流的。托马斯·摩尔，这位英国的外交家、院士和部长在切尔西区建造了一座别墅，从此，除了能享受到切尔西区的宁静外，边上的泰晤士河还能让他很快地直接抵达他在威斯敏斯特地区的任何一个工作地点。

诸 圣 教 堂

教堂内部主要收藏葬礼纪念物,其中值得一提的是托马斯·劳伦斯的纪念物和罗伯特·斯坦利爵士和他两个孩子的半身像。人们常说,半身像的眼睛制作得十分逼真,让人觉得塑像的眼神似乎追随着游客的步伐。当然,所有塑像中最重要的还是托马斯·摩尔本人的塑像。

教堂圣殿在纳粹的轰炸中安然无恙,所以就不需要像教堂的其余部分一样进行翻修。托马斯的棺材让人联想起了他恐怖的死亡。就在他作家和政治家生涯最关键的时刻,亨利八世以叛国罪将他处决。

托马斯在伦敦塔楼内被斩首,他的首级被钉在伦敦桥的一根桥柱上,而他身体其他部分的下落却是个谜。他的首级最后被放在了坎特伯雷大教堂,其余部分确实无人知晓;也有人说他身体的其余部分其实就在诸圣教堂内,也有人说就在伦敦塔的圣彼得圣堂内。

1970年,人们在泰晤士河和教堂之间建了一座黑色和金色的雕像,让人联想到托马斯这位著名的人物。

托马斯·摩尔的寓所1740年被拆毁,巧合的是,几个世纪前这里曾是他家的花园,在这片土地上,有另一座建筑,而他迁居切尔西区前,就曾经住在那座建筑中。这就是克罗斯比礼堂,切尔西区另一座优秀的历史建筑。

克罗斯比礼堂是约翰·克罗斯比爵士宅邸的一部分。格洛斯特公爵也曾居住在那里,他就是后来的理查德三世。

克罗比斯礼堂的特别之处在于其复杂的木制天花板和哥特风格的大窗,向人们展示了15世纪英国最上层社会闪耀着光辉的生活。现在,那里是女大学生宿舍的一部分。

◀托马斯·摩尔塑像。

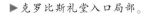

▶克罗比斯礼堂入口局部。

夏 纳 步 道

　　向东走,我们就可以抵达夏纳步道。夏纳步道与泰晤士河平行,在很长一段时间内,那里都是切尔西区名胜的集中段。现在,这片区域交通异常繁忙,让人很难想象出当时那个让众多艺术家钟情的宁静河岸。当漫步在夏纳步道时,人们就可以领略其魅力,建筑和花园都维持着很好的状态,让人们可以感受到那个时代的美景。18世纪最初的几年,建筑使用红砖成为主流,在此基础上,人们按安妮女王风格对这片区域进行了改建,从此,那片河岸的宁静就不复存在了。

　　走过诸圣教堂后,我们就抵达了卡莱尔大厦,一座典型的切尔西区风格的建筑。再往前走就可以看见一些闪着光的白色广告装饰牌。然而,如果说有某些因素让卡莱尔大厦名垂青史的话,那一定是大厦内曾经的居住者,像作家T.S.艾略特和亨利·詹姆斯,后者于1916年在大厦内逝世。

> 卡莱尔大厦的名字是用来纪念托马斯·卡莱尔的,在卡莱尔的时代,他被人称为"切尔西的智者"。毫无疑问,在切尔西区,这是一个与托马斯·摩尔齐名的名字。维多利亚时期,很多文人都喜欢在卡莱尔家聚会,卡莱尔先生与他的妻子简·威尔士在他们的客厅里接待了许多客人,如查尔斯·狄更斯、达尔文等。

▼阿尔伯特桥。

▲夏纳步道上的罗塞蒂纪念喷泉局部。

▲在卡莱尔大厦曾居住着一些英国最重要的作家。

　　自从1834年定居切尔西区之后，卡莱尔，这位散文家、史学家和伦敦图书馆的奠基人直到去世都一直居住在这座房子中。卡莱尔是英国社会最受尊敬、最受欢迎的文化人物之一。他的寓所如今已经成了一座对公众开放的博物馆，展览其中的家具和卡莱尔先生的一些遗物。书桌上依然保存着《伟大的费德里科》或《法国大革命》的书页。

　　继续走在夏纳步道上，我们可以欣赏典雅的阿尔伯特桥。阿尔伯特桥建于1873年，夜幕降临，桥上的灯亮起后，阿尔伯特桥被认为是整个城市最漂亮的建筑。此外，桥入口处的那座大卫·怀恩所作的雕塑也值得一看。那座雕塑是一个小男孩用手抓住海豚鳍的情景，显得生机勃勃。一走过与奥克利街相交处，就走入了真正的19世纪末伦敦艺术最精华的部分。其中最杰出的代表之一就是画家和诗人罗塞蒂。罗塞蒂曾居住在夏纳步道16号，他对前拉斐尔时期的绘画运动有很大影响。在住宅对面的花园里，有一座纪念罗塞蒂的喷泉。

　　毫无疑问，在所有曾经居住在那里的艺术家中，最全能的是天才作家奥斯卡·王尔德。王尔德住在夏纳步道35号，和罗塞蒂同一条街。王尔德夫妇在1884年至1895年间曾居住在那里，那段日子对他而言是不幸的，他因为同性恋罪被判刑，先被关在监狱里，后来又被流放巴黎。20世纪中叶，人们为王尔德放置了相应的纪念铭牌（铭牌上写着：剧作家和天才），当时，仍有一些英国社会的保守部门对此提出抗议。

▼大卫·怀恩的雕塑作品《男孩和海豚》。

药用植物园和皇家医院

在斯万步道上的切尔西药用植物园在夏纳步道的东面、切尔西堤西面尽头，是切尔西区的天然宝藏。植物园里有将近5 000种植物。这座植物园的历史可以追溯到1673年，是英国皇家药学会的财产。药学会在植物园中培植这些药草，并对其分类。在植物园中心有一座纪念汉斯·斯隆爵士的纪念雕像，他是这里的主人。斯隆爵士为药学会免去了所有租金，多亏如此，药用植物园才能在那么多年间长久存在，枝繁叶茂。植物园的悠久历史确实让游客们流连忘返，它就这样存在了300多年，其中的很多树木都有100多年的历史。

▶1858年时守卫海岸用的大炮，展出于国家军事博物馆。

▲皇家医院正门。

皇家医院

切尔西堤一直延伸到皇家医院内。皇家医院是整个切尔西区最具纪念意义的建筑。查理二世委托建筑师克里斯托弗·雷恩爵士按照路易十四的巴黎荣民院为范本建造了这座建筑。

建筑在1682年开放，原本是希望办成一个面向老年人和皇室军队伤残士兵的舒适的疗养院，因此，雷恩设计这座建筑时，以三个庭院为中心，建了一系列的楼房，房子都配有走廊。在楼内的人可以坐在走廊上欣赏不同天气状况下的泰晤士河。在建造内部时，雷恩使用了他最好的工匠，因此最后的结果令人十分满意，功能和美感兼备。医院的规划和使用空间既没有被过度装饰，也没有超负荷使用，堪称一件真正的艺术品。医院的一部分曾被炸弹严重毁坏，之后被修葺过，近来又被改建，不过，人们并没有改变雷恩最初设计的格局。医院中有一座查理二世的塑像，并且从这座塑像还发展出了一个传统——每年5月29日的栎木苹果日，人们就会为这座格林林·吉本斯所作的塑像铺上枝叶，纪念查理二世在伍斯特战役中躲在栎树林中而逃过一劫。

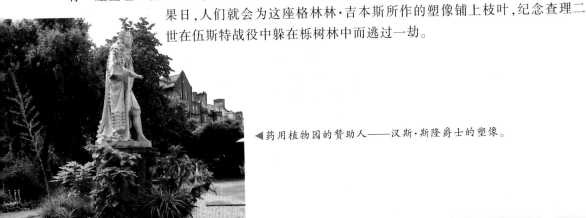

◀药用植物园的赞助人——汉斯·斯隆爵士的塑像。

国王大道和斯隆广场

离皇家医院街不远,就是国王大道,切尔西区的主干道。17世纪时,为了方便怀特霍尔和汉普顿宫之间的联系,人们修筑了国王大道。然而,让国王大道真正留存在英国人的记忆中的原因是:那里曾是60年代"摇摆伦敦"的中心。国王大道曾是这股伦敦最先锋潮流的心脏地带。就是在那里,迷你裙开始流行起来;70年代时,精明的马尔科姆·麦克拉伦的第一家服装店开张,出售漂亮的朋克服饰,并将它们出口到世界的其他国家。

直到今天,国王大道上仍然有许多时装店,是一条商业街。值得一提的是国王大道的南部,那里集中了一些古董商;国王大道的152号是"雉鸡场"酒吧。这个古老的酒吧,现在已经是一个饭店了。其吸引人之处是酒吧保存完好的外墙和正门,它们并不因岁月流逝而改变,而酒吧的前身是一座古老的家具厂。1881年,建筑的外墙和正门将人们的注意力吸引到了建筑的橱窗上。橱窗是新希腊主义风格的,有女像柱装饰,上面还有一匹马。

斯隆广场

国王大道向东通到斯隆广场,这里将是我们行程的终点。斯隆广场是矩形结构的,十分漂亮,于18世纪为纪念前文提到的汉斯·斯隆爵士而建。在广场的中心有一座美丽的维纳斯形象的喷泉,在喷泉处我们可以看见切尔西区的最后两个景点。在西面角上的是皇家宫廷剧院。今天我们看见的皇家宫廷剧院是1888年由瓦尔特·埃姆登和W.R.克鲁按照原址上之前的剧院的图纸重建的。皇家宫廷剧院对近百年来的英国戏剧创作的发展和推进有着极其重要的意义,尤其是从1956年英国戏剧公司进入剧院后开始的这一段时期。广场的北部和斯隆街形成了一个夹角,三位一体教堂就在这个夹角中。三位一体教堂建于1988~1990年,是建筑师约翰·丹多·赛丁的作品。教堂向人们完美地展示了当时的建筑装饰和建筑艺术。教堂的内部和外部都采用了19世纪末美学主义的建筑风格。

▲ 维纳斯喷泉。

▼ 三位一体教堂。

三位一体教堂

三位一体教堂有三个十分突出的元素。首先是铸造精良的供桌周围的栅栏和教堂外部的栅栏,其次是巨大的彩色玻璃窗。窗玻璃由画家伯恩·琼斯勾勒,在威廉姆斯·莫里斯神秘的作坊中完成制作。最后是教堂中著名的19世纪风琴,至今仍保存完好,音色优美。

南肯辛顿、骑士桥街、肯辛顿和霍兰德公园

南肯辛顿、骑士桥街、肯辛顿和霍兰德公园游览路线

(景点后的括号内为建筑的位置)

- 南肯辛顿
- 维多利亚和阿尔伯特博物馆(展览街/邦普顿路)
- 自然史博物馆（克伦威尔街）
- 英国科学博物馆（展览街）
- 阿尔伯特纪念馆（肯辛顿街）
- 肯辛顿宫(皇宫大道)
- 骑士桥街
- 肯辛顿
- 霍兰德公园

　　在标志性的公园和街道中间，有三座博物馆。维多利亚和阿尔伯特博物馆中藏有来自世界各地的代表性收藏，自然史博物馆是一座基础自然博物馆，涉及植物学、古生物学等学科；英国科学博物馆将科学和娱乐活动相结合。

　　在这一段我们将游览两个不同的区域。我们从南部的南肯辛顿和骑士桥街出发，之后我们北上到肯辛顿和霍兰德公园。

▲ 自然史博物馆。

▶雄伟的阿尔伯特亲王(维多利亚女王的丈夫)纪念碑。

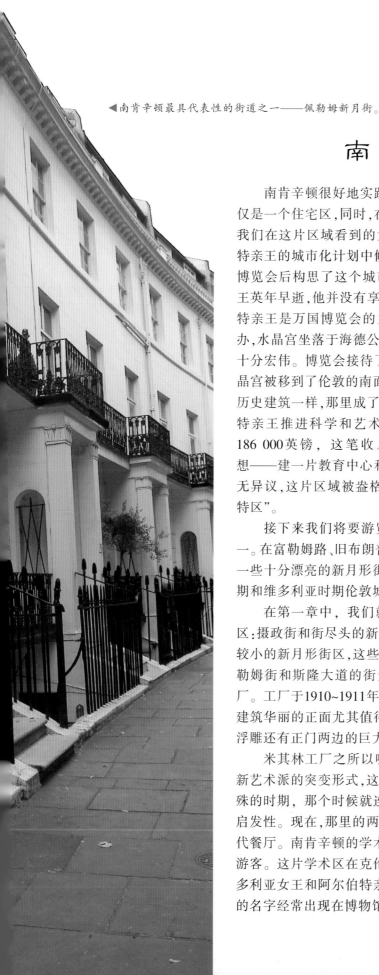

◀南肯辛顿最具代表性的街道之一——佩勒姆新月街。

南肯辛顿

  南肯辛顿很好地实践了维多利亚精神的都市化,它不仅是一个住宅区,同时,在不同时期也是伦敦的学术中心。我们在这片区域看到的大多数街道和建筑都是在阿尔伯特亲王的城市化计划中修建完成的,阿尔伯特亲王在万国博览会后构思了这个城市化计划,但是,由于阿尔伯特亲王英年早逝,他并没有享受这个城市规划的成果。阿尔伯特亲王是万国博览会的主要推动者。博览会在水晶宫举办,水晶宫坐落于海德公园南部,建筑材料为金属和玻璃,十分宏伟。博览会接待了600多万游客,在博览会之后,水晶宫被移到了伦敦的南面。最后,1936年,就像许多伦敦的历史建筑一样,那里成了一片放牧羊驼的牧草地。阿尔伯特亲王推进科学和艺术发展的构想为国家带来了将近186 000英镑, 这笔收入让阿尔伯特可以实现他的梦想——建一片教育中心和科学艺术博物馆集中的区域,毫无异议,这片区域被盎格鲁撒克逊历史学家称为"阿尔伯特区"。

  接下来我们将要游览伦敦最典雅、最精华的区域之一。在富勒姆路、旧布朗普顿路和南肯辛顿地铁站之间,有一些十分漂亮的新月形街区。新月形街区指的就是乔治时期和维多利亚时期伦敦城市中的弯月形街道。

  在第一章中,我们就提到过两个最著名的新月形街区:摄政街和街尽头的新月公园。现在,我们将看到一些比较小的新月形街区,这些街道都在比较宁静的区域。在富勒姆街和斯隆大道的街角上,人们可以参观米其林的工厂。工厂于1910~1911年间由弗朗索瓦·埃斯比纳斯建造,建筑华丽的正面尤其值得一看——色彩缤纷的瓷砖,汽车浮雕还有正门两边的巨大螺旋形装饰物。

  米其林工厂之所以吸引游客注意力是因为它是一个新艺术派的突变形式,这种艺术形式将游客带到了一个特殊的时期, 那个时候就连工厂也被要求要修建得漂亮,有启发性。现在,那里的两个厂房被用来经营一座奢华的现代餐厅。南肯辛顿的学术区域很有名,有许多慕名而去的游客。这片学术区在克伦威尔街和肯辛顿花园之间,由维多利亚女王和阿尔伯特亲王投资构建,也因此女王和亲王的名字经常出现在博物馆、纪念碑和街道的名字中。

维多利亚和阿尔伯特博物馆

维多利亚和阿尔伯特博物馆(经常用缩写"V&A"表示)是英国最著名的大博物馆之一,是名副其实的迷宫,有145个展室。如果要概括地说维多利亚和阿尔伯特博物馆的展厅中有哪些展品,那可以说是一个系列的设计和装潢展,向人们展示了全世界各个国家的设计装潢史。这样的介绍显得模糊不清,但是,可以确定的是馆内展品数量巨大。这座博物馆绝对需要人们反复游览几次,才能将展品尽收眼底。

游客将在那里众多的展品中看到陶瓷器、服饰、珠宝、水彩画、宗教器物、乐器、雕塑、壁毯和家具等物件。

维多利亚和阿尔伯特博物馆的前身是制造博物馆,1951年国际博览会时开馆。随着制造博物馆的装饰艺术的展品增多,这一部门渐渐形成了维多利亚和阿尔伯特博物馆,而博物馆中原先的展品在阿尔伯特亲王的保护下被搬到了南肯辛顿博物馆,直到现在这些展品还在南肯辛顿博物馆中。

渐渐地,建设规模超出了原计划,于是,人们必须要召开一次会议,讨论建造朝向克伦威尔街和展览街的一些附属建筑的问题。1899年,维多利亚女王为建筑铺下了第一块石材,并命名博物馆为"维多利亚和阿尔伯特博物馆"。

▲一根石柱局部。

▼维多利亚和阿尔伯特博物馆。

建筑的外轮廓对于游客而言显得浮华而又太过繁琐。屋顶的线条聚拢成了一个八角形的圆拱顶，这个拱顶使得建筑的外观看上去有些不堪重负。在正门的上方有维多利亚女王和阿尔伯特亲王的塑像，而在这两座塑像的两侧有爱德华七世和亚力山德拉女王的塑像。在第二个入口旁边，两面外墙的窗之间开了一些壁柜，每个壁柜中都摆有一座英国最重要的艺术家或手工艺者的雕像。

对于博物馆中展品的规格，游客一定要首先记住：英国

▲ 布朗普顿礼拜堂内部的圆拱顶。

▲布朗普顿礼拜堂。

曾是大英帝国，只有这样，游客才能明白一些展品的出处。维多利亚和阿尔伯特博物馆和大英博物馆的藏品都是世界上独一无二的，从世界各地的大英帝国从属国中收来的藏品。有些藏品是作为战争的战利品被运到首都伦敦的。这样就可以理解，比如说，为什么世界上大多数印度艺术品(这里指的是印度境外的印度艺术品)都被收藏在这里。

维多利亚和阿尔伯特博物馆东面的布朗普顿路上，有布朗普顿礼拜堂。建造这座礼拜堂是为了庆祝19世纪末英国天主教的复兴，耗资巨大。礼拜堂的内部和外部都是意大利风格的。从外面看，礼拜堂的规模、色彩明亮的波特兰石材和门廊两边的一对石柱都让布朗普顿礼拜堂看上去像一座真正的16世纪的意大利北部教堂。

然而，礼拜堂最璀璨的部分是在其内部，设施的完善耗费了几年的时间，其中最昂贵的物件都是从意大利采购的。

朱塞佩·马祖奥利的作品《十二信徒塑像》(比一般塑像的尺寸大得多)是礼拜堂最重要的藏品之一。这部作品在锡耶纳教堂的中殿摆放了两个世纪后，最终被安置在了伦敦。

Opens 20 July 2006

游览维多利亚和阿尔伯特博物馆

底层

一走进大厅，人们就会被奇胡利的玻璃枝形吊灯震撼。

中世纪宝藏

● 12世纪的《埃尔登堡的圣物箱》

● 意大利哥特艺术家乔瓦尼·皮萨诺所作的耶稣受难记的象牙雕刻。

意大利文艺复兴

● 多纳泰罗所作的大理石浅浮雕，表现了耶稣任命圣彼得为教堂的领袖时进行的钥匙交接仪式。

● 从17世纪至今的各种有代表性的衣物的展览。

● 拉斐尔所作的壁毯草图，用来装饰西斯廷圣堂。拉斐尔和米格尔·安赫尔是同时代的艺术家。

尼赫鲁印度艺术馆

从蒙古帝国统治时期到英国统治时期的各种印度艺术品。

●《提普的老虎》是一座木制雕刻，作于1790年，表现了一只老虎吞噬一个英国士兵的情形，重现了士兵垂死的痛苦。

伊斯兰艺术

● 13世纪用大理石雕刻的沐浴仪式石柱。

● 两块巨大的16世纪波斯壁毯。

徐展堂中国艺术馆

● 钢制拱门模拟从天花板上悬下的一条中国龙。

● 公元1世纪的佛像头部。

楼上

所有的展品分为四个主题，按时间顺序陈列：

1）风格（分析展品的意义）。

2）创新（分析设计中的进步之处）。

3）生活时尚（描述各个时代的生活风格）。

4）引领潮流（阐述各个时代的社会领导人和艺术趋势的关系）。

此外还有：

● 大窖床1590年用橡木制作，其上足够睡8个成年人。

● 康斯太勃尔系列：藏有将近400幅的约翰·康斯太勃尔的作品。康斯太勃尔是18世纪末英国风景画家。其中比较著名的有：《第德汉姆磨坊》和《萨利斯布里教堂》。

▼第一层平面图和主要入口。

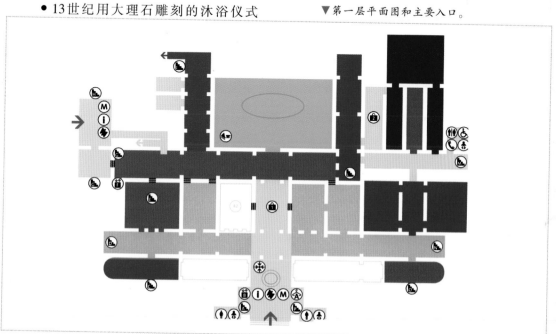

自然历史博物馆

在克伦威尔街上，维多利亚和阿尔伯特博物馆的西面，还有壮观的自然历史博物馆。这座博物馆的外部和内部都让人觉得十分惊奇，因为它其实是一个教堂。博物馆同时也向人们展示了维多利亚时期的自然科学教学技术的发展程度。

博物馆众多的拱门和石柱下的地基是钢铁结构的。石柱上雕有不同的动植物：西面是已经绝种的物种；东面是还活着的动植物（当然其中有些我们也已经看不见了，毕竟过去了一个多世纪了）。人们可以驻足于博物馆内的拱门之下，观察一下攀爬在石柱上的众多生灵。建筑巨大的外墙用相间的蓝色赤陶砖带和沙色陶砖带装饰，还有一个双侧的坡道通到入口处。坡道在一系列拱门结构下方，两侧还有对称的两座塔。毫无疑问，这座博物馆是伦敦新罗马主义风格建筑中最好的一座，建筑的所有装潢装饰时刻都带给人们一种愉悦的感觉，任何时候都不会让游客失望。

随着考古鼎盛时期的到来（帝国统治时期的诸多战利品将考古研究推上顶峰），人们需要规划出一个地方来收藏这些古董。从那时起，英国的考古藏品就渐渐多了起来，品种也日趋丰富，一直到今天，自然历史博物馆依然完美地经营管理着旗下的各个历史基金会，并且将其拓展至更宽广的领域，使其具有更大的潜力。

博物馆能吸引众多成年人和孩子的原因很可能是它能适应各种变化，人们可以在博物馆中看到130 000种矿物的展览，也可以经历身在一个超市中遭遇神户大地震（日本，1995年）的情景。

▼自然历史博物馆。

> **自然历史博物馆的由来**
>
> 博物馆源自汉斯·斯隆爵士的一系列科学收藏品。爵士死后，政府用20 000英镑将这些藏品买下，形成了早期大英博物馆的一部分。20 000英镑的价格比这些藏品的本身价值低了许多。

游览自然历史博物馆

对于一个藏品超过7 000万件的博物馆而言，系统地列出各种展品其实并没有多大意义。

生命馆

值得一提的有：

● 恐龙馆。

● 生态馆，模拟热带雨林。

● 人类生物学展馆，有一个巨大的胎儿模型，并模拟胎儿在母体中听见的声响。

● 达尔文中心，有450 000多件储存在福尔马林中的动植物的标本，最古老的是1753年制作的。

地球馆

博物馆最有特色的地方，因为这片区域有许多与游客的互动项目(电脑和模拟器)。

值得一提的有：

● 地震和火山爆发的情景模拟。

● 地球宝藏，展览各种矿物质、岩石和宝石。

● 含烃的化石、可再生能源、星球的形成和地球进化过程的展览。

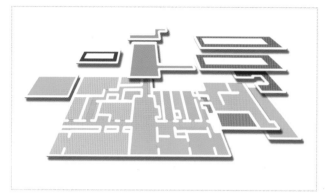

▲建筑平面图。
▼博物馆内部，地球馆。

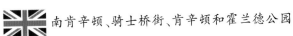
英国科学博物馆

　　临近自然历史博物馆,同样在展览街上,有英国科学博物馆。遗憾的是,这座建筑并没有如同自然历史博物馆一般的奇妙之处,但是,科学博物馆却是将枯燥乏味的科学事件用简单易懂而又吸引人的方式表现出来的典范。

　　博物馆的藏品源自维多利亚女王和阿尔伯特亲王的科学收藏,之后藏品渐渐增多,达到了一定数量后,人们将藏品分开摆放,并建造了今天的英国科学博物馆。总体来讲,这座建筑很普通、功能性较强,能很好地履行其职责,但是从建筑学上说,却没有什么特别之处。博物馆最近一次的改建,是为博物馆添加了西翼,这一部分采用了先锋派风格,有一座可以播放3D电影的IMAX影院。

▶帝国大学。

◀阿尔伯特音乐厅外露天的达利作品。

游览英国科学博物馆

博物馆通过有趣的方式向人们展示了几个世纪以来科学技术的革新发展。在入口处的大厅里有一个巨大的福柯钟摆。游客可以通过观察博物馆的入口和出口处来感受方向的变化,证明地球沿着轴心自转。

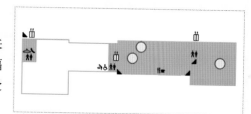

地下室：

这片区域是为孩子们准备的,所有的展品都可以用手触摸。

- 花园(针对3至6岁儿童)。
- 展品(针对7至11岁儿童)。
- 家中的秘密生活(展示家用电器的运作)。

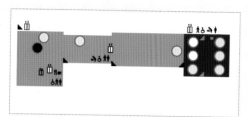

主厅：

现代世界的发展过程：展示促成工业革命的科技进步。

- 马修·博尔顿和詹姆斯·瓦特1788年发明的蒸汽机。
- 已知的最早的蒸汽机车,1813年的普芬蒸汽火车。
- 最早的载人机车,1829年的史蒂芬森火箭号。
- 汽车史上的传奇(如1888年的奔驰或第一辆劳斯莱斯)。

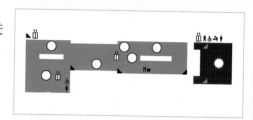

太空:太空探索的发展。

- 阿波罗10号的控制舱,1969年美国人乘坐阿波罗10号登月。
- 阿波罗11号的复制品。

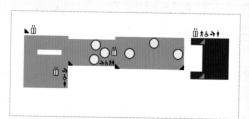

底层：

关于电信通讯、气象学和当代度量的展厅(藏有从埃及人的水钟到铯原子钟等物件)。

值得推荐的是"发人深思的事物"的展览,向人们解释科学史和食物社会背景的关系。

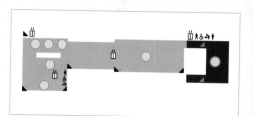

第二层：

关于核能、化学、航海航天和信息系统的展厅。

值得一提的是2号差分引擎的复制品,是查尔斯·巴贝奇19世纪设计的,是现代计算机的前身。

第三层：

关于航天的展厅,展示了从人类最初尝试飞翔到当代最复杂的飞机。

值得推荐的是怀特兄弟1903年飞行器的复制品以及"飓风"和"烈火"喷气式歼击机。

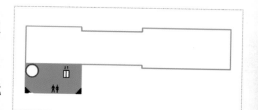

第四层和第五层：

关于医学科学和艺术及兽医学历史的展厅。

值得推荐的是展厅再现了那先启发了过去的人们的设施,如一个20世纪30年代的牙医诊所。

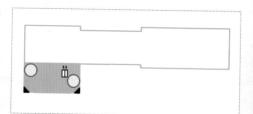

继续在展览街游览，我们会遇见更多的遗迹，都在维多利亚时期学院派核心区域之外。在我们的左边是帝国大学，现在是伦敦大学的一部分，同时也是英国最古老的科学园之一。

再往前走，在亲王街转弯就到了皇家音乐学院。音乐学院是一座新哥特式建筑，而其日耳曼风格的岗楼显得尤为特别。

在音乐学院内有大约300件乐器，这些都是真正的古董，其中有一

▲阿尔伯特皇家音乐厅露天的达利的雕塑作品。

架1531年的拨弦古钢琴，是海顿的遗物，还有亨德尔用过的小型拨弦古钢琴。皇家音乐学院的学生时常会举办一些音乐会。

就在音乐学院前面，还没到肯辛顿花园处，有皇家阿尔伯特音乐厅。

音乐厅是一个巨大的椭圆柱形砖建筑，外墙用玻璃和铁结构覆盖。在这座半圆形建筑中，可以举办音乐会、运动会（尤其是拳击赛）、上演舞台剧等，并且可以容纳大约8 000人。建筑的外墙用赤陶制的墙带装饰，代表艺术和科学的胜利。最后，完工的建筑让人联想起狂妄的罗马帝国（毫无疑问，这样的建筑像极了罗马竞技场），很好地展现了维多利亚时期的主要精神。

▶阿尔伯特皇家音乐厅露天的达利的雕塑作品。

在阿尔伯特音乐厅的西面是英国皇家艺术学院。艺术学院所在的建筑在这片满是维多利亚风格建筑的区域显得格格不入。艺术学院的建筑简朴、灰暗，外墙上铺满了玻璃。建筑暗淡的外墙和内部形成了鲜明对比——内部色彩缤纷，并且还有一个大厅用来展示学生的作品。

在皇家艺术学院后面，离音乐厅更近一些的地方，是皇家手风琴学院。这座建筑的特别之处在于它和阿尔伯特音乐厅风格上的碰撞。建筑外墙上既没有赤陶也没有砖头，整个外墙上都是令人眼花缭乱的石膏板，让建筑显得别具魅力，在整座城市中独一无二。

在阿尔伯特皇家音乐厅的东面是阿尔伯特音乐厅大厦，由诺曼·肖建造。这座建筑扮演过两个角色：一是伦敦第一座多层建筑；二是将红砖制建筑外墙在城市中推广流行。这座建筑无疑是伦敦城市化历史上的一个转折点（当然，意义或许远远超过了这一点）。

该区域的这些建筑昭示着一个时代的结束。在那个时代中，有经济实力的人为空间所制约，而另一个时代也拉开了序幕，在这个时代中人们开始了一种新的生活方式，而这种方式很快就在所有的大城市中普及起来：城市公寓社区生活。

阿尔伯特皇家音乐厅

这座演出场馆已经变成了一个十分特别的地方。因为音乐厅的建筑面积很大，音响效果又很好，许多世界上最优秀的艺术家都登上过音乐厅的舞台，从齐柏林飞船合唱团到伦敦交响乐团，从帕瓦罗蒂到埃里克·克莱普顿。可以说，各种不同艺术风格，不同艺术种类的音乐家都在那里演出过。

▼阿尔伯特皇家音乐厅。

阿尔伯特纪念碑

　　如果从阿尔伯特皇家音乐厅向肯辛顿花园方向看去，人们就可以看到阿尔伯特纪念碑。这座非凡的耗费巨大的纪念碑是全国人民对于阿尔伯特亲王在41岁时突然因为斑疹伤寒去世感到悲痛的象征。纪念碑由一个布满装饰的哥特式神龛组成，顶部是金色和黑色的塔尖形状，两侧有楼梯。

　　在纪念碑内部，有一座金色的铜制塑像，大约4.5米高，表现了阿尔伯特亲王端坐在那里，手拿1851年万国博览会目录的形象。人们常说塑像左手臂特殊的摆放位置是维多利亚女王特地要求的，因为女王认为这就是阿尔伯特亲王平时的样子。

▶阿尔伯特纪念碑局部。

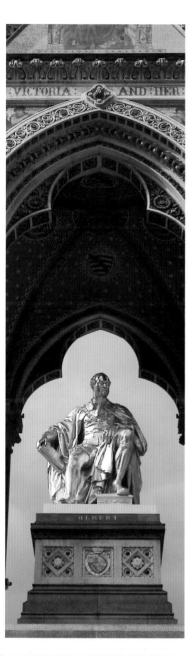

在人行道周围有一系列的大理石浅浮雕，向人们展示了178位不同时期的艺术家和学术大家。

有些人物形象有一些标志性元素让人能够识别出该人物是谁，或者众多人物形象围绕一个主题，也有利于人们识别；不管怎样，参观者一定会发现，在这个满满当当的墙上没有任何一个女性形象，这也让人们深刻了解了维多利亚时期的精神（这种精神不能不说是荒谬的——一个时代如果政治权利落在一个女人手中，那么这个时代就不会有意义重大的发展）。

在同样的维多利亚精神的基础上，浮雕也分成了不同的类别，有代表农业、手工业、贸易和工程学的。在石阶的外角上有更多的不同雕刻，分别代表非洲、美洲、亚洲和欧洲；其中唯独非洲显得灵活热情，而其他的则显得较为冷漠（欧洲尤甚，让人感到特别悲观）。

阿尔伯特亲王

弗朗西斯·查尔斯·奥古斯都·阿尔伯特·马努埃尔是阿尔伯特亲王的全名。

他是一个受过良好教育的人，然而，他一生都活在妻子维多利亚女王的光环之下。

人们广泛认为，阿尔伯特亲王对科学、艺术和工业尤为有兴趣，但是他却因为英年早逝而没有能够将其能力发挥到极致。

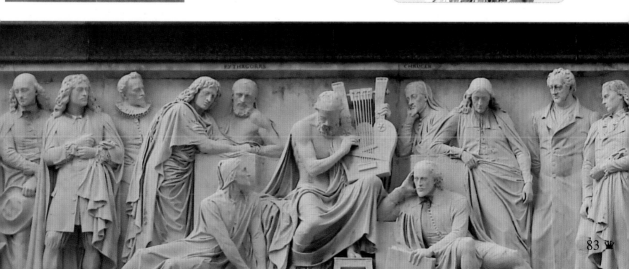

肯辛顿宫

皇家建筑

克里斯托弗·雷恩负责改造扩建肯辛顿宫。他花了7年时间将肯辛顿宫改建成了皇室寝宫。

建筑师为建筑添加了门廊和钟塔，并且为宫殿重新布局，以便皇室使用。国王和皇后分别享用一间大房间。

如果我们从阿尔伯特纪念碑向西穿过肯辛顿花园，我们就能经过一座在历史上非常重要的建筑——肯辛顿宫。

自从被威廉三世和玛丽皇后买下后，肯辛顿宫就一直是皇室最喜爱的去处之一。1819年，维多利亚女王就出生在那里，也同样是在那里，1837年的一天早上，维多利亚醒来后得知自己成了国家的新女王（维多利亚女王统治英国达64年）。

在今天，肯辛顿宫依然是一座重要的建筑。1997年的夏天，新闻媒体不停地转播在肯辛顿宫门前举行的不幸去世的戴安娜王妃的葬礼的情景，让人痛心不已。

肯辛顿宫的内部是威廉·肯特的手笔。肯特此前曾是一个知名的圣殿装饰师。国王的房间是最豪华的，其中值得一提的是房间中装饰考究的天花板，这些装饰是肯特在他的意大利之行后引进英国的。

肯辛顿花园一直延伸到肯辛顿宫前。花园源于皇室的寝宫：当王朝建立后，人们将海德公园最靠近皇宫的一部分划入了皇宫的范围，在那里建了花园供皇室享用。

乔治一世的王妃卡罗琳在18世纪对花园进行了扩建，并且重新规划了花园的结构布局，她命令积蓄韦斯特伯恩河的河水，由此形成了长水湖和蛇湖。至此，我们今天所见的肯辛顿花园才真正建成。

▼肯辛顿宫的湖泊。

▲橘园。

　　这条狭长的水带是人们想象中的海德公园和肯辛顿花园之间的分水岭,海德公园在其右边,左边是肯辛顿花园。在水带边还有蛇形艺廊,这里曾经是一个茶馆,而现在是一个展览当代雕塑和画作的展览馆。

　　肯辛顿花园1841年开始对外开放,就是从那时起,在伦敦市民中开始流行起来去这些公共花园,使自己摆脱拥挤的居所带来的不适的做法。

　　如果说海德公园是那些非常有钱的人散步的场所,那么肯辛顿花园中的主角永远是孩子们。

▼肯辛顿花园。

2000年,威尔士公主戴安娜王妃纪念广场开幕,纪念去世的戴安娜王妃。纪念广场在花园的最西北面。花园由三个供孩子们游玩的公园组成。

这个花园是一个有创新意义的场所,其中有专门为残疾孩子设计的区域。这些区域的设计充满了想象和智慧,哪怕年龄再小的孩子都能乐在其中。那里建造的各种场景(包括树屋和一艘海盗船)堪称奇观。

离公园不远处,在长水湖边,有一座塑像,其意义和童年息息相关:彼得·潘的塑像,这是一座建于1912年的铜像,由一位匿名的伦敦市民慷慨赞助建造。

这座雕塑有许多优点。雕塑摆出的是当时著名女演员尼娜·布西考特的姿势,展现出了优雅的气质,同时也显得充满活力。雕塑的底座看上去像多节的树干,上面有尽情玩耍的孩子的形象和各种想象出的动物形象。

彼得·潘

在小说和戏剧作品中,彼得都是代表那些不想长大的人,这类人不愿意活在充满冲突的成人世界中。

彼得邀请温迪·达令和她的兄弟姐妹去永无岛,岛上住着迷失的孩子们。那里没有成人世界的规则和纪律。

▼肯辛顿宫的伊丽莎白二世的塑像。

之所以要在肯辛顿花园建这样一座小小的塑像是因为詹姆斯·马修·巴里就是在那里构思了彼得·潘和铁钩船长的故事；在那里，巴里开始向邻居的孩子们讲述这个不想长大的孩子的故事。之后，这个故事变成了一个戏剧作品、一部小说、好几部电影，更为重要的是，这个故事成了流行半个世纪的儿童文学作品的代表。

▲肯辛顿花园。

湖泊的南边延伸出了罗藤洛街，从字面上讲，罗藤洛的意思是"腐烂的路"，但这个名字原本应该是18世纪很常用的"国王之路"，由于使用时发生了曲解，路名就从"国王之路"变成了现在的名字。在罗藤洛街和爱丁堡门之间，有一组爱普斯坦创作的令人好奇的雕塑作品，作品中一家人(包括她们家的狗)被彼得·潘控制着在公园中奔跑。彼得·潘真是自然中的一朵奇葩。

▼蛇形艺廊。

骑士桥街、肯辛顿和霍兰德公园

如果我们从阿尔伯特门走出花园，从骑士桥街上到布朗普顿街转弯，我们就可以看见哈罗德商店。哈罗德在1849年最初开业时，只不过是一个小小的食品店，而现在哈罗德是全球最著名的购物广场之一。哈罗德所在的建筑是一座较晚建成的巴洛克宫殿式建筑，在那里几乎可以购买到所有的商品（不过，价格都高不可攀）。

哈罗德豪华的内部装潢使之成了一个旅游景点。此外，尽管看上去不太像，但是，哈罗德（地下室）其实也有一个纪念碑，纪念已故的戴安娜王妃和多迪·埃尔·法耶德。这座纪念碑是穆罕默德·埃尔·法

▲德雷森缪斯街。

▲肯辛顿教堂街上的古玩店。

耶德建的，他是多迪的父亲，也是哈罗德的拥有者。

太阳落山后，10 000多个小灯泡将哈罗德的外墙照亮，让哈罗德成了这片重要商业区的"明星"。

肯辛顿

让我们继续向北走，在肯辛顿花园的西北面，就是肯辛顿。从骑士桥街只要走上肯辛顿街，一直走到花园尽头就可以看见肯辛顿商业街，这片区域的主干道。

缪斯是这片区域的重要地段，别具一番都市魅力。

如今，经过了几十年的重建，这片曾经的伦敦穷人的聚集地上盖满了价格昂贵的高档寓所。

如果想要参观缪斯，值得推荐的是肯辛顿商业街北面的德雷森缪斯街，和地铁站在差不多的地方。在德雷森缪斯街东面，有两条与其平行的街，这两条街十分有趣：肯辛顿教堂街，因为街上众多的古玩店而出名，还有一条肯辛顿宫花园街是一条私人街道，属于肯辛顿宫旧宫门对面的一个奢华的住宅区。街上的大多数建筑都是大使馆和外交官的私人寓所，是这片区域的上层社会的聚集区。

缪　斯

缪斯的历史可以概括为几百年的都市化进程。缪斯这个名字在古代指的是饲养猎隼的场地。之后一段时间,缪斯都作为畜栏存在着。

到了维多利亚时期,城市势不可挡地迅速发展,畜栏和紧邻的附属建筑(畜栏后勤)被改建,成为大厦的一部分,并且被作为独立的住宅出租。

返回到喧闹的肯辛顿商业街,在往霍兰德公园方向走之前,我们可以在伦敦的一片绿地那里停留一下。这片绿地是肯辛顿屋顶花园,和地铁站在同一条街上,从花园可以走入德里街。屋顶花园在一个屋顶平台上,躲开了地面上的噪音和忙碌。屋顶花园的面积很大,装饰随意:有几个喷泉、一个池塘、一些树木,甚至还有一条小溪。这个花园有一个非凡之处,这个非凡之处有些难以理解,就如同在一个安达卢西亚花园的内部采用了阿尔罕布拉宫的风格一般。在20世纪70年代的最初几年,这个屋顶花园是一个叫做"比芭"的商业计划的明星部分,使古怪成为计划的一个特点。

在肯辛顿商业街中间,到了阿盖尔路向右转,就可以看见斯坦福露台。阿盖尔路18号是林利·桑伯恩的寓所。林利是《朋趣》周刊的政治评论家和画家。这份周刊是幽默连环画和杂文轶事的摇篮。

▶维多利亚时期的邮筒。

阿盖尔路让人们领略到了维多利亚辉煌年代的一个有文化的、人丁兴旺的英国家庭的日常生活的场景，它应该是对这种场景的最好展示。

游客们可以欣赏建筑室内的墙壁，墙壁上贴有威廉姆斯·莫里斯设计的墙纸，游客还可以欣赏那个时代的家具、大量的瓷器、那些装饰有各种复杂几何图形的毛毯、一些沉重的天鹅绒帘幕和许多那个时代的充满感染力的装饰。

让我们重新回到主干道商业街，在那里我们可以看到另一扇开向19世纪的小窗。在到达梅尔伯里街之前，我们可以看到一个非常珍贵的维多利亚时期的邮筒，这是一个红色的邮筒，是整个伦敦最古老的一个邮筒。

霍兰德公园

如果我们从梅尔伯里街向右转，就进入了霍兰德公园的周边区域。在19世纪，那些街道成了一个满是艺术工作室的小社区。

19世纪，许多画家搬到梅尔伯里街居住，梅尔伯里街因而出名。然而，街上最有名的建筑是塔屋，是威廉·伯吉斯为他自己建造的，他1881年在这座建筑中去世。

要想知道是哪位建筑师修建了科克大教堂，只需看看这座新哥特式建筑优雅的线条，就知道它完完全全是受罗马精神的启发。

梅尔伯里街有一个弯道，可以转入阿伯茨伯里路，这条街可以将人们带入霍兰德公园。霍兰德公园是伦敦最美丽的花园之一。

霍兰德公园比海德公园小得多，也比肯辛顿花园要小，然而，霍兰德公园中的树木却比另两座公园都多。公园

▲肯辛顿屋顶花园。

另外一个吸引人之处是公园中的众多孔雀，在春季和夏初，这些孔雀漂亮的尾羽为公园倍添魅力。

霍兰德宫是唯一留存的雅各宾式建筑。1941年，纳粹的炸弹破坏了这座建筑的一部分。1773~1840年期间，在第三任霍兰德男爵的领导下，这座宅邸成了真正的伦敦知识界的中心，因而被载入了史册。

霍兰德宫最初是一个艺术家、哲学家和国家官员的聚会场所。从那里走出了华特·斯科特、华兹华斯、托马斯·B.麦考利、萨缪尔·罗杰斯和拜伦等，许多名人都是霍兰德宫的常客。

▶斯坦福露台。

诺丁汉门街、帕丁顿区和
摄政公园周边地区

诺丁汉门街、帕丁顿区和摄政公园周边地区游览路线

(景点后的括号内为建筑的位置)

● 诺丁汉:波特贝罗路

● 帕丁顿区

● 摄政公园(外圈/康沃尔露台):伦敦动物园

● 卡姆登镇(汉普斯特德街/埃弗修尔特区)

　　霍兰德公园大道在霍兰德公园的北面,与公园平行。公园大道超出公园的部分就成了诺丁汉门街,泰晤士河也流经这条街,同时,诺丁汉门街是肯辛顿区的尽头,进入了诺丁汉区。诺丁汉的"汉"的意思是"小山";诺丁汉门街是这片区域的最高处。直到19世纪,这片区域还是完全没有人居住,只有零星的几块田地和几座农场。拉德布罗克树林街在这片区域的都市化进程中被作为中轴线,都市化按照贝尔格拉维亚的范本进行,有花园式广场和著名的新月形街区。

　　相邻的帕丁顿区也是在同一个时期开始有人居住的,但是,在帕丁顿区有大西部铁路推动居民的增长。当大西部铁路将帕丁顿区定为铁路的终点站时,当地的居民开始大量增加。这意味着社区的社会构成也发生了变化,因为大部分的新邻居都是铁路的工作人员。

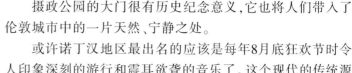

诺 丁 汉

摄政公园的大门很有历史纪念意义，它也将人们带入了伦敦城市中的一片天然、宁静之处。

或许诺丁汉地区最出名的应该是每年8月底狂欢节时令人印象深刻的游行和震耳欲聋的音乐了。这个现代的传统源于五六十年代时大批到此地定居的加勒比地区的移民(尤其是牙买加人)，那些移民在这里构成了一个新的社区。诺丁汉的北部现在依然保留着多种族的特点，而最南部则成为一个舒适的住宅区。

从彭布里奇路可以进入诺丁汉区。彭布里奇路将游客从诺丁汉门街地铁站直接带到著名的波特贝罗路。

在工作日和星期六看到的波特贝罗路是完全不同的。每周六，波特贝罗路上有著名的小商品市场(从1837年起)。波特贝罗路和周边地区都挤满了人，更棒的是，游客们可以欣赏街上的五彩缤纷的建筑外墙，感受这些色彩带给人们的强烈反差和特别的色调，这一切都成为波特贝罗路喧嚣活跃的背景。

众多的建筑中有一座电动电影院，是伦敦诺丁汉地区的标志性场所。这座英国最古老的电影院背后有丰富的历史。在被放弃使用一段时间后，电影院又被人们想起，并精心改造成了当地的一个现代化的奢侈场所。在那里人们可以舒适地坐在皮革沙发上看电影，甚至还可以在大厅里用餐、喝饮料。

从波特贝罗路的西面，可以转入拉德布罗克树林街，在那些上文提到过的新月形建筑中，有一个值得人们注意且让人十分好奇的建筑：兰斯多恩新月。这座建筑立在一片古典宫廷建筑中，是街上的29号。这座建筑是一个叫做杰里米·勒弗的建筑师的作品。19世纪70年代时，他计划在已经建成的两座建筑中的细小缝隙中建造一座寓所，结果就有了伦敦最狭长的寓所。

这座建筑为杰里米赢得了英国建筑学院的认可。波特贝罗路的东面，与彭布里奇路垂直的方向延伸出了莫斯科路。在这条路上有圣索菲亚大教堂。这座教堂是伦敦的一座希腊式东正教大教堂。教堂前面的门廊上有一座石雕。这座石雕原属于圣母教堂，建于1667年。圣母教堂所在的这条街就是现在的查令十字街。教堂的平面是希腊十字形的，圆屋顶上覆有马赛克。

帕丁顿区

我们继续向东走，就到了帕丁顿车站。帕丁顿车站是维多利亚时期的一座看起来雄心勃勃的工程，采用了钢铁和玻璃的拱顶结构。车站在1854年开始营业。1号出口站台墙壁的最高处有铁制的眺望台。车站的设计师布鲁内尔就是在这个眺望台上监管整个车站的运行情况的。

帕丁顿车站一直运行良好，直到几年前才进行过一次改建，增加了直达希思罗机场的特快专列。车站的扩建带来了巨大的商业收益，在开始采用自动售票机后，车站又一次获得了巨大的成功。其实从一个半世纪前，人们就已经开始计划使用自动售票机了。

▲1号站台的到达处。

▼帕丁顿车站1号站台的眺望台。

帕丁顿车站周边有一条普雷德街，那里有圣玛丽医院。1943年，亚历山大·弗莱明就是在圣玛丽医院的实验室中发现了青霉素而被载入史册的。和医院相邻，在南码头路的街角有一座被当做研究所使用的博物馆。

艾治威道北部的西面，在宽阔的A40高速公路和沃维克大道地铁站之间的地区被伦敦人称为小威尼斯。称这样一片运河的交汇处为小威尼斯可能有些夸张，但毫无疑问，这是一个漂亮的地方。河岸上的柳树以及沃维克和梅达大道上的一些豪华建筑的外墙为这片区域赢得了"小威尼斯"的美名。

　　小威尼斯那里有几座船屋停泊在岸边,为它增添了几分魅力,并让人觉得已经离开了这座城市,虽然此时正身处城市中心地区。

　　从布卢姆菲尔德路的内港可以沿着运河边的小道散步。人们可以一直走到摄政公园,甚至还可以走到卡姆登镇。当然,游客也可以往反方向走——向西走,这样,在左岸上人们可以看见圣玛丽教堂。

　　我们离开帕丁顿车站向东南方向走,就会到达艾治威道和贝斯沃特路的交界处,这两条都是古罗马街道。那里有演讲角,就在海德公园一角。这个演讲角从百年前就聚集着各种演讲者,其中有煽动政治情绪的人和预言家。

　　在前面,我们可以看见大理石拱门。这座拱门是用来装点乔治四世新建的白金汉宫的入口的。这座拱门一建成就遭到了人们的批评,因为白色的大理石与周围的白金汉宫的色调显得格格不入,而且拱门本身也太窄了。在拱门边有一个纪念铭牌,向人们展示着该拱门的重要历史意义。在那里还有泰伯恩行刑场,从1196年到1783年间有许多人在那里被处决。在伦敦动荡的历史中,很少有地方可以这么长时间履行这样的职能。

> ### 圣玛丽医院
>
> 　　建筑最有特点的是完全弯曲的祭坛和一座尖顶圆塔。建筑张扬的外观让人联想起德国北部的一些教堂,这一点使圣玛丽医院变得十分有趣。

▲出现在甲壳虫乐队最后一张专辑中的著名的艾比路斑马线。

现在让我们转向摄政公园。这些地方都在玛丽莱本的北面,玛丽莱本原本是一个建于中世纪的小镇,在那里还可以看见整个伦敦最好的乔治时期的建筑。摄政公园西面是圣约翰伍德区及其周边地区。

大宅院、花园和建筑物间的空地突然增多,让从拥挤的市中心来的人觉得豁然开朗。这些住宅是在19世纪陆续建起来的,从开始兴建时起,这片住宅区就显示出成为摄政公园邻居的可能了,于是在建造时建筑就比较分散,有三三两两联体的,也有单独一幢的建筑。

这类建筑成了那些拥有某些挤入上层社会抱负的人的标志性住宅区。

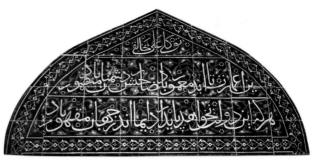

　　圣约翰伍德区是最初的犹太人殖民者定居的中心地区，犹太人很快兴旺起来，因此，我们可以在那里看到两座犹太教堂。向西可以看见两座教堂中更古老的一座：新伦敦犹太会堂。这座教堂在艾比路上，1882年起对信徒开放。另外一座教堂比较现代，设计大胆，采用了一些与当时的宗教建筑相冲突的元素。这座教堂就是在圣约翰伍德路上的自由犹太教堂。

　　就在教堂对面，有一座综合运动场：洛德板球场和玛丽莱本板球博物馆。那里是玛丽莱本板球俱乐部的总部，建于1787年，最初是由建筑师托马斯·洛德领导修建的，运动场因此以他的名字命名。这座体育馆是那些最高级别的国内和国际运动会的主会场。

　　1999年，这座给人留下深刻印象的场馆增建了洛德板球场新闻中心。新闻中心是一个真正的建筑上的创新，它采用了超前的铝质结构，使用这样的结构是受到了造船技术的启发。在新闻中心内部，记者们拥有他们自己的通讯中心，也可以很好地看到整个球场的状况。

　　从体育场穿过公园路，我们就进入了摄政公园。如果此时向我们的右边看，就能看见伦敦中央的清真寺和伊斯兰文化中心。这组建筑就在摄政公园的附近，环绕在绿树中。

　　从建筑结构上看，这组建筑有两个特别之处：巨大的金色拱顶和相邻的高耸的伊斯兰尖塔。如果要参观清真寺，人们必须将鞋脱在外面，而女人还必须戴上面纱。

▼小威尼斯的船屋。

▼小威尼斯。

摄政公园和伦敦动物园

在英联邦时期，摄政公园的土地被没收，被改建成了农田，直到1811年，人们才又开始对这片土地进行改造。负责这项工程的是约翰·纳什，他是著名的建筑师，也是后来乔治四世的朋友，在当时，乔治四世还是摄政王（负责这片土地的完善和命名工作）。

纳什依照摄政王的命令进行工作，他的工程分散在伦敦的各个地方，但是，他主要负责的是从摄政公园到摄政街之间的一部分。建筑师充分展示了他的才华和能力，将已经建成的伦敦庄园改成了十分别致的场所，如椭圆形的摄政公园。他放弃了传统的四方形规划设计，将露台式房屋（在外墙外面成排的房屋）设计成弧形，让这些房屋可以配合公园的椭圆形。如果人们认为弧形房屋很容易建造，那就错了，加上在那个时候，将建筑建成弧形，而不是直线形的想法是不被建筑界认可的。纳什利用了每一寸摄政公园的土地，造出了两个同心的圆

亨利八世

简短地游览一下摄政公园的西部之后，我们就到了公园的中心。摄政公园和海德公园的历史起源很相似，都曾被亨利八世征用，改建成了围猎场。

周，这样也使建筑和花园的布局具体化，显示出了一个巨大的创新。

我们从汉诺瓦门进入公园，顺着公园路北上，就可以看见正对这扇门的伊斯兰清真寺。

纳什最初的计划是在乡间和摄政王的夏宫处建造56栋住宅，这个计划在经济上实在无法实现。结果，纳什一共建造了8栋住宅，其中只有三栋经历了种种磨难留存了下来，这几座建筑都在内圈。接下来我们就到了环绕在公园外的外圈，我们按顺时针方向游览。这样我们就可以欣赏约翰·纳什和德奇姆·伯顿为公园设计的环状住宅区。堪称完美的建筑外墙前的露台式房屋展现在游客面前，游客可以看见庄严的石柱和三角梁。通常人们认为坎伯兰露台是最具代表性

的,它坐落在西北面卡姆登镇的方向。坎伯兰露台的建筑构造是所有露台中最复杂,也最狭长的。坎伯兰露台的中心是一系列的爱奥尼亚柱子,柱子顶上有三角梁结构,梁上有蓝底白色的浅浮雕。有趣的是,坎伯兰露台这座建筑就是正对着摄政王落寞的宫殿而建的。

从公园入口的拱门处可以看到延绵不断的一系列的露台。如果走到约克门,我们就可以看见一个人工湖。就像海德公园和肯辛顿花园一样,摄政公园也提供船只出租,而且游客可以在湖上看见各种各样的水鸟。1867年,湖上发生了一起悲剧:覆在湖面上的冰盖碎裂,几十个在冰面上溜冰的人溺水身亡。从那时起,人们就决定把湖底的一部分填上,让湖刚好深1.5米。纳什精心构思的内圈是公园的心脏,那里是一派田园景象:花木繁茂、阡陌交错。

玛丽女王花园十分别致,园中花团锦簇,甚至还有一个池塘,池塘中心有一个怪石嶙峋的小岛。还有露天剧场,那里每到夏天就会对公众开放,多年来一直上演莎士比亚的作品,十分出名。公园东南角的对面有一座建筑值得游客驻足游览。这座建筑就是皇家医师学院,于1964年由丹尼斯·拉斯顿爵士负责建造。这座现代的建筑和周围的建筑完美地融合在了一起。

医师学院的平面是"T"字形的。学院的两个会议厅半嵌在建筑的主结构中。建筑的主要特点是结构复杂,这是唯一一座将线条和平面和谐地组合在一起的建筑,布局合理。实际上,在拉斯顿去世后,人们将这座建筑称为"这片区域最好的三维立体派建筑"。

◀玛丽女王花园的入口。

伦敦动物园

离开摄政公园和那些重要的纪念建筑,伦敦动物园就成了真正的主角。伦敦动物园是世界上最古老的动物园之一。在将伦敦塔中的凶猛动物并入伦敦动物园中后,园中的动物增加了不少。

两个动物园合并后,动物园开始向伦敦市民一次次展示不同的动物:1835年,展出了第一只黑猩猩;1836年,动物园租来了4只长颈鹿;1850年,展出了第一头河马;在1853年,伦敦动物学会在动物园建成了全世界第一个公众水族馆。

伦敦动物园

伦敦动物园的经营管理理念中最重要的一点,就是认为动物园是非同一般的建筑。部分建筑和建筑结构本身就蕴含巨大价值。

值得一提的是动物园中的钟塔和骆驼以及长颈鹿的"寓所"(对一些大笼子的委婉说法),还有最现代的大象区及著名的有螺旋形水泥坡道的企鹅游泳池。此外,还有斯诺顿勋爵鸟笼。这是一个在动物园最北边的巨大鸟舍。这个鸟舍除了体积巨大之外,其结构是一个技术奇迹,蕴含了许多高科技元素,鸟舍只有两个支撑点,且仅仅使用钢材料和高强度钢筋。

摄政运河穿过伦敦动物园,从外圈和阿尔伯特亲王街之间流过,围绕在摄政公园的北部。在铁路发展和加固之前,大联盟运河对商业运输起了极其重要的作用。现在,这条曾经的重要运输通道已经成了一个旅游景点和休闲胜地。

我们从摄政公园北面离开公园,穿过阿尔伯特亲王街,就可以到达另一片绿地:普里姆罗斯山,这是一个古老的带有传奇色彩的地方,在被罗马占领之前,普里姆罗斯山是文化人的领地,同时也是凯尔特巫师聚会的场所。我们走上一条穿过小山左边的小道,一直走到山顶。向右看,我们就可以看到最好的伦敦全景之一,我们可以参考地图来识别伦敦的一些主要建筑。

从那里下山,我们可以到达普里姆罗斯山路和摄政公园街之间的地区。在摄政公园街122号曾经住着卡尔·马克思的朋友和合作者弗里德里希·恩格斯。之后,我们可以顺着街道南下,左边是菲茨罗伊街,街上的23号曾经住着伟大的诗人威廉·巴特勒·叶芝。

最后我们到达了格洛斯特大道,如果继续向南走就到了大联盟运河,这样就离开了摄政公园的范围。

▶ 从摄政公园逆光拍到的清真寺的照片。

卡姆登镇

圆屋体育场：
伦敦摇滚乐的摇篮

圆屋体育场举行过一些各个时期最重要的摇滚乐团的音乐会，有平克·弗洛伊德、大卫·鲍伊、谁人乐队、齐柏林飞船合唱团和雷蒙斯乐团等。

沿着运河走几米我们就可以看到卡姆登水门市场，这个市场从1974年开幕起，就一直在发展壮大，在那里人们可以买到所有的东西：手工艺品、二手货和古董，这个市场已经很接近卡姆登镇车站了。卡姆登镇的重要性并不在于街上有著名的博物馆或大规模的历史纪念建筑，而在于卡姆登镇是伦敦最热闹、最多彩的地块之一。卡姆登镇不是有钱有势的人首选的住宅区，因为它没办法让那些人远离中心的喧嚣，卡姆登镇的居民绝大多数是无产阶级。卡姆登镇大约是在18世纪末开始成为一个小镇的。

从1790年开始，各个建筑公司开始向北面兴建房屋。当这片区域开始都市化时，托特汉姆法院路还是一段非常危险的路段，经常会有拦路抢劫的事件发生，因此，在路边就有一个绞刑架，现在呢，在绞刑架的原址上建起了卡姆登地铁站。

19世纪末，社区中有许多商场和作坊。在运河的岸边总是会进行一项疯狂的活动。卡姆登商业街变成了商业动脉，而且在地铁开通后，这片区域就和伦敦的其他地方联系起来了。

第二次世界大战的影响和运河失去商业运输主干线的职能使得卡姆登镇发生了很彻底的变化。很多商场关门歇业，而社区也经历了最后一次转型。

▼卡姆登水门市场。

从那时起，卡姆登镇开始具备了转型的条件。一方面，1971年，英国水路管理局开始租用一些废弃的工业建筑，将这些建筑作为手工艺作坊，1972年，一个初期的周末市场开始形成，手工作坊将其产品放到市场上销售。这个市场的一个成功之处在于，当整个伦敦还没有交易市场时，这个周末市场已经红火地经营起来了。

1985年，在乔芳路和其周边地区开放了三个新的市场。1990年，人们改进了卡姆登水门市场的设施，并在靠近中间场街的地方兴建了一个新的室内小商品市场。另一方面，旧的市场组织的拆除工程使大量的房屋空置出来，在这些空屋中形成了一个音乐俱乐部和音乐厅的网络，于是，卡姆登镇成了伦敦现代音乐史上最重要的一片区域。

圆屋体育场很好地展示了这个转型的过程，圆屋是卡姆登镇本地音乐的标志，乔芳路上还有砖结构拱顶的建筑。

▲商店橱窗。

卡姆登镇是伦敦最近200年的历史缩影：从一个小镇到维多利亚时期城市化机构的扩张中心；从与外界隔绝到完全联系；从无人居住到成为移民目的地；从被弃用到经济繁荣；从被轰炸到重建；从工人集中到游客云集；从生产中心到文化中心。卡姆登镇的街道既保留了历史，也面向未来；既有沉淀，也有改变；是伦敦这个城市生动的历史再现。

▼卡姆登水门市场。

我们继续顺着20世纪的历史看下去,1939年，西班牙结束了内战,而同时,汉普斯特德的文化人和艺术家也开始受到一个动荡的政治局势的决定性影响。第一批德国流放者开始抵达这个地区，他们无法忍受德国国内高涨的纳粹主义。

有些流放者只是路过这里，他们的初衷是想要抵达美国,还有一些流放者确实想留在汉普斯特德区。在唐西尔山,人们成立了"自由德国"协会,为从欧洲大陆出逃的难民提供帮助。

汉普斯特德是唯一部分保留了农村特点的地区。汉普斯

汉普斯特德地区游览路线

(景点后的括号内为建筑的位置)

● 汉普斯特德村：芬顿之家(汉普斯特德商业街)
● 汉普斯特德西斯公园：海格特墓园。

特德地区丰富的植被十分出名，众多作家和艺术家选择定居在此地也为汉普斯特德增光添彩。

如果不想坐交通工具抵达汉普斯特德,游客可以从圣约翰伍德路通过惠灵顿路和芬奇利路到达目的地,或者也可以从卡姆登镇经乔芳路到达汉普斯特德。汉普斯特德别具特色的草木提醒人们在维多利亚顶峰时期在伦敦北部有一些边界线限定了草木的无节制生长。

在一些绅士挑选这片土地建造他们的避暑寓所之前,汉普斯特德只是一个由水塘环绕的小镇。1936年,西班牙开始了内战;不同于欧洲的其他国家,英国的文化界推动了共和事业,而汉普斯特德就是这共和事业的中心。在济慈格洛弗街,具体说是街上的2号,人们建了一个协调中心支持反抗弗朗哥的斗争,在这项斗争中,汉普斯特德的艺术家们的行动从根本上起了推进作用。

汉普斯特德众多流放者中最著名的应该就是西格蒙德·弗洛伊德。弗洛伊德是精神分析的先驱。那里的梅尔斯菲尔德花园20号就是弗洛伊德最后的住所，这是一幢第二次世界大战前中产阶级的居所。当弗洛伊德从德国纳粹的手中逃出时，他同时还带走了一座图书馆——他收藏的古玩、画作，当然，还有他的长沙发。在弗洛伊德博物馆中，展出了这位治疗专家的物品，还有一些重要人物的治疗申请，如赫伯特·乔治·威尔斯、达利和马林诺夫斯基等。

在济慈格洛弗街边，就是同名的济慈家族博物馆。在这里，约翰·济慈在1818年12月到1820年9月间创作出了他最好的作品。尽管当时济慈的身体状况已经不是很好，这位诗人还是爱上了他邻居的女儿，芬妮·布劳恩，之后他们两个订了婚。据说，1819年济慈就是坐在花园中的一棵桑树树荫下，创作出了他最著名的作品之一《夜莺颂》的。那棵桑树已经不在了，而最近人们又将树重新种了起来。

弗里特河是泰晤士河最重要的支流之一。弗里特河有

两个源头，东面的源头就在现在的肯伍德别墅附近；西面的源头是健康谷。

人们在汉普斯特德境内的一些重要泉流中发现了高含量的铁，于是这些河水就变得不同一般了。很快在当地就发展出了小规模的瓶装水工业。

汉普斯特德村和芬顿之家

▲弗拉斯克小径的典型建筑外墙。

▲芬顿之家。

▲弗拉斯克小径。

汉普斯特德村是伦敦周边曾经的小镇的中心。

地铁站的两面延伸出了街道,为了配合当地的地形,街道的排列几乎是不规则的。很难说我们现在还身处城市中。让我们看一些最具意义的建筑吧,先看一下汉普斯特德村,之后我们就可以完全沉浸在汉普斯特德西斯公园中了。

这片区域被汉普斯特德商业街一分为二。商业街的延伸段是西斯街,西斯街得名于这片区域生长的主要植物——欧石南。

西斯街狭窄的街道向两边延伸,在山坡特别陡的路段采用了台阶。在这些街道区域我们可以看到18世纪和19世纪初的房屋,这些房屋都保存完好,很大程度上是因为高低不平的地势挡住了不可避免的都市脉动。这里有整个伦敦保存最完好的乔治时期的街道,高大的红砖结构建筑面对面地立在街道的两边,当然,一直有专人对建筑的外墙进行维护。

圣约翰墓

圣约翰墓在教堂边,规模比较小,有一个特点十分突出:简约。方石路间冒出的小草和遮挡坟墓的树木给人一种感觉:时间仿佛停滞在了那一刻。墓地制作精良的铁栅栏是从坎农斯的钱多斯公爵废弃的宅邸中运来的。

在钱多斯公爵去世后,他的儿子开始出售宅邸的主要部分;很快,宅邸中就没剩下什么了,其余的大部分都散布在了整个英国。

西斯街的尽头是圣约翰教堂,是汉普斯特德教区的教堂,在1745~1747年间重建。教堂的外部比较简朴,只有一座尖顶塔比较有特点。在教堂内部至少有三个游览重点:祭坛的装饰画屏、天花板上错综复杂的装饰和教堂中殿北部的济慈的半身像。

芬顿之家

在教堂的一侧延伸出了荷利步道,这是一条旧汉普斯特德区的倾斜的陋巷。沿着荷利步道向北走,我们就到了汉普斯特德格洛夫街,那条街上有这片区域最古老的建筑——芬顿之家。芬顿之家建于1693年,保存完好。这座简朴的建筑值得一提的只有建筑的斜拉屋顶和两个对称的烟囱。建筑外墙的红砖与花园的生机勃勃形成鲜明对比。花园外有围栏,而花园内部的格局一直保留着,不曾改变。

转回来,走过花园的最北端,就可以看见海军上将之家,这是一座18世纪初的建筑。建筑的白色外墙不经意间让人联想起了船的形状。这座建筑曾经出现在康斯太勃尔的画作中。海军上将之家的由来并不为人所知,唯一清楚的是这座建筑是一个海员负责建造的。之后,因为一些尊贵的人选择居住在这里而名声大噪。在深入了解汉普斯特德西斯公园之前,我们可以在汉普斯特德商业街的另一端散个步。

走过地铁站后,我们首先走上了布莱克巷,从那里延伸出了弗拉斯克小径。这条小径比较狭窄,随着接近威尔道区域的住宅区小径渐渐变宽。1826年起,康斯太勃尔居住在威尔道40号一直到1837年去世。在康斯太勃尔寓所的前面,一座石制喷泉提醒人们这里是一些泉流的所在地,这些泉流使汉普斯特德区成为18世纪的温泉疗养地,但是那座石制喷泉只是形式上的,从来没有冒出过泉水。

▶海军上将之家。

汉普斯特德西斯公园和海格特墓园

　　威尔道与东西斯街相交,东西斯街是汉普斯特德西斯公园的边界。汉普斯特德西斯公园的前面是东西斯和健康谷,左边是西西斯和一座小山,右边是议会山和海格特墓园的池塘。

　　汉普斯特德西斯公园比伦敦其他的公园显得更原始、更多元。公园的8 000多平方米的土地上有小山、池塘、草地和树林。游客们看不见纪念碑、喷泉和塑像,整个公园就只是城市中一个露天的美丽城堡。

　　议会山这个名字很有误导性,因为实际上议会山离议会很远。于是,人们对此有两个猜测。比较可能的一个是,在17世纪内战时期,那里面向威斯敏斯特放置了许多中型火炮机械;另一个猜测是,那里是盖伊·福克斯和他的同伙碰头的地方。

　　西面,在公园的对角,西班牙人路切断了西斯街。这条路通向西班牙人旅社,是一个18世纪的酒馆。那里曾经是一个西班牙外交官的住所,酒馆也因此得名。

　　这个酒馆因为一些与之有关联的传说而十分出名。据说当时这家小酒馆经常是拦路抢劫犯的目标, 就如同在1780年,人们挫败了一群叛乱者想要袭击上议院主席曼斯菲尔德议员的寓所的事件。这座寓所就是肯伍德别墅,坐落在西斯街的北部,这样就刚好结束了我们在汉普斯特德区的游览。

　　肯伍德别墅是一座新古典主义建筑,之后伯爵的侄子继承了这座别墅,并对别墅进行了扩建。1925年,埃维格勋爵买下了这片土地和别墅。他将他令人惊异的收藏画放在别墅中,并且购置了昂贵的家具。在他去世后,按照他的遗嘱,所有的一切都留了下来,所有财产现在都属于伦敦市政府。

▲汉普斯特德西斯公园是一个小植物园,还有蕴含着历史的建筑和墓园。

西面,在玫瑰花坛对面,人们重新恢复了约翰逊医生的避暑处所。处所向南,面向一片树林。埃维格勋爵捐助的画作收藏必须要专门介绍。尽管画作的件数并不多,但是其质量却令参观者称奇。在这些画作中有许多18世纪和19世纪初的肖像画,同时还有范戴克、维米尔和伦勃朗的作品。

海格特是伦敦北部郊区另一个美丽的地方,就像汉普斯特德一样,海格特区有许多古老的建筑。海格特也在一片高地上,就像临近的汉普斯特德村一样,街道的布局缺少条理。我们可以从阿治威地铁站南下到达海格特墓园。

向南延伸出格洛弗街,在这条街上有许多海格特区的美景。那里有17世纪至18世纪的房屋,这些砖结构建筑的外墙非常典雅。再往前一些,在我们的左边是诺斯路。诺斯路上有一排乔治时期的建筑,并无太多特别之处,与之形成鲜明对比的是,更往前一些的独栋的海波因特公寓。

海格特墓园

从海格特街走上右边的南格洛弗路,这条路与斯韦恩巷相连。从斯韦恩巷可以到达墓园的大门。

海格特墓园的面积接近20公顷,分成两个不同的区域。东边的部分比较新,也比较小,那里有卡尔·马克思的墓,是全国访客最多的陵墓。西边区域有许多维多利亚时期的陵墓。游客可以在那些常见的、浮华的埃及风格陵墓间散步,也可以走上围绕着黎巴嫩区的小径游览。黎巴嫩区集中了一些坟墓,都环绕在一棵庄严的雪松外。

墓园本身就拥有其特殊的价值,因为墓园中有迷宫般的道路,到处都有葱郁的树木,使墓园带有一种美妙诱惑的氛围。

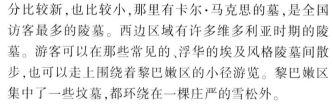

海格特墓园

在结束这一章节前,我们还是忍不住要去游览一下海格特墓园。

海格特墓园并不是汉普斯特德区的一部分,因此,我们其实不应该把墓园的内容放在这一章节,然而,墓园确实离肯伍德别墅很近,在西斯街的东面,值得我们顺路去游览一下。

布卢姆斯伯里、霍尔本和柯芬园

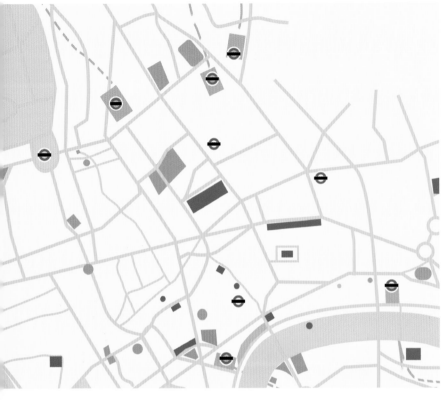

布卢姆斯伯里、霍尔本和柯芬园地区游览路线

(景点后的括号内为建筑的位置)

- 布卢姆斯伯里
- 大英图书馆(尤斯顿路/奥萨尔斯顿街)
- 圣潘克拉斯新教堂(米德兰路/尤斯顿路)
- 伦敦大学学院(高尔广场)
- 大英博物馆(蒙太古广场)
- 霍尔本
- 约翰·索恩爵士博物馆(海霍尔本路)
- 林肯律师学院(金威路)
- 斯特兰德大道
- 萨默塞特中心(维多利亚堤)
- 维多利亚堤花园(维多利亚堤):埃及艳后方尖碑
- 查灵十字街(特拉法加广场)
- 柯芬园
- 圣保罗教堂(查灵十字街)
- 伦敦交通博物馆(惠灵顿街)
- 国家剧院博物馆(惠灵顿街)

这些与教育和知识相关联的街道构成了一片资产阶层的区域,那里保留了16世纪的都市格局,有一些广场和花园。大英博物馆和林肯律师学院都在这片充满文化和历史的区域中。

布卢姆斯伯里和大英图书馆

布卢姆斯伯里有特色的是大英博物馆和伦敦大学。这些与教育和知识相关联的街道镶嵌在柯芬园、索霍区、霍尔本和摄政公园之间。

我们从尤斯顿路北面的火车站出发，往泰晤士河方向走。最西面的尤斯顿站在原先的19世纪中叶的车站的基础上改造而成，之后这座新车站的一个元素成了艺术史学家眼中的英国美学艺术的范例——入口处有巨大的陶立克式拱门。最东面的车站是国王十字站，这个车站的结构很简单，建在两个大厅上，这两个大厅一个是候车大厅，另一个是出口处。

尤斯顿车站的东面是车站酒店，建于1874年，当时的名字是米德兰大酒店，今天人们已经不再使用这家酒店了。之后，由于人们对酒店有需求，于是利用三角形的地形，建起了一座哥特式城堡酒店（有大约500个房间）。酒店的设计十分天才，令人眼花缭乱，从不同的角度看，这座建筑的结构复杂得近乎离奇，显得很戏剧化。

大英图书馆

向西穿过米德兰路，我们就能到达大英图书馆，尤斯顿路96号。图书馆也是一座新近的建筑，而这座建筑在计划和建造过程中也出现了许多的反对意见。查尔斯王子说这座大英图书馆是"秘密警察学院"。在经历了35年的设计、政治冲突和搬迁之后，大英图书馆于1998年开馆。

这座建筑有巨大的红砖结构基座，线条粗重，有一大堵墙和一个空空的院子，给人一种冷清的感觉。但是，不可否认的是，建筑内部宽敞，最大限度地利用了自然光源，这是建筑的一个巨大的优点。图书馆藏书量十分可观，几乎涵盖了所有英国出版的图书，同时也藏有手稿和地图。读者凭读书卡进入阅览室，但是，图书馆只有局部向公众开放。

圣潘克拉斯新教堂和伦敦大学学院

离开令人印象深刻的大英图书馆,穿过街道向右边走。在尤斯顿路和上沃本广场街的交界处,我们可以看见圣潘克拉斯新教堂,这又是一座古老的建筑。因为教区内富裕的大家族渴望有一座与他们的风格相配的教堂,于是教区就建造了这座圣潘克拉斯新教堂。

在那个时期,受到希腊雅典娜神庙大理石建筑的影响,英国的建筑也经历了一个狂热地模仿希腊建筑的时期。

圣潘克拉斯新教堂是整个伦敦第一座新希腊风格的建筑。教堂的平面是长方形的,门廊上有六根巨大的爱奥尼亚柱子,支撑起一个三角梁,梁上有一座尖顶风塔。在教堂的南面和北面有一些女像柱,类似于雅典王神殿的格局。这些女像柱成了教堂真正的广告,使教堂闻名于整个伦敦。

也有人诋毁这种对希腊建筑风格的崇拜——艺术界人士说这些希腊风格的建筑完全就是抄袭(尽管执行得很好),宗教界还是有许多人不能接受,因为他们无法理解为什么教堂里要多出这么多异教的元素。总之,这座教堂最后成了布卢姆斯伯里地区的美学的代表。

▼建筑协会。

伦敦大学学院

穿过上沃本广场街，走上与之垂直的恩德斯勒花园街，左边的第三条街是戈登街，从戈登街上我们继续南下。

学院最重要的一幢建筑是新古典主义风格的，人们可以从高尔街进入这座建筑。有几级台阶通向一条典雅的门廊，门廊由十根柯林斯石柱支撑着。伦敦大学学院是第一所不限宗教信仰向所有求学者敞开知识大门的高等教育学院。在1878年，学院成为第一所允许女子入学的学校。

戈登街通入戈登广场。戈登广场大概是托马斯·丘比特在1820年的作品，广场已经经历了许多次重修和改建。这座广场和英国文学息息相关，比如说，伯特兰·罗素曾经住在57号，多拉·卡林顿曾住在41号。这里最特别的地方是53号的波希瓦尔·大卫基金会中国美术馆。1950年，大卫·波希瓦尔爵士将他所有个人收藏的瓷器和关于中国文化艺术的藏书赠予了伦敦大学。

我们向西穿过戈登广场，右边就是小型的马利特广场了。在广场上有科技大学的入口。在这所大学中有皮特里埃及考古博物馆，这是一个奇妙的地方，可以作为参观完附近的大英博物馆埃及宝藏后的补充。

在马利特广场对面有马利特街，这条街的尽头是蒙太古广场，西面是贝德福德广场，东面是罗素广场。从街上，我们可以看见大英博物馆的背面。贝德福德广场是布卢米斯伯里区所有广场中最典雅的一个，很有可能是因为这座广场保存完好的缘故。

曾经众多贵族居住在贝德福德广场周围，而现在这片区域多是办公楼和机构总部。其中最重要的就是在广场最西面的建筑协会，因为伦敦的重要建筑师绝大多数都是由这个协会的建筑学校培养的。在广场的东面有罗素酒店，是维多利亚时期豪华建筑风格的代表，它规模庞大，建筑外墙装饰繁琐且配有廊柱。从罗素广场出发，沿着蒙太古街一直走到与大罗素街的交界处，我们就可以从大罗素街进入大英博物馆。这座博物馆可是我们布卢姆斯伯里区游览的重头戏，同时也是伦敦最主要的文化景点之一。

▶ 贝德福德公爵的塑像。

大英博物馆

　　很难向一个从来没有到过大英博物馆的人介绍博物馆内的馆藏和入馆后即将看到的大量珍宝。可以说,从规模上讲大英博物馆与阿尔伯特和维多利亚博物馆差不多大,但是大英博物馆展厅中的藏品更令人惊奇,更有价值。简而言之,大英博物馆向人们展示了世界上大多数文化考古和人种的历史。

　　大英博物馆诞生于1749年,汉斯·斯隆爵士在去世前提议政府用20 000英镑买下他的自然历史书籍、矿物和货币等收藏。这些收藏数目巨大,也十分混乱。20 000英镑的价格是远远低于这些藏品本身的价值的。

　　这些藏品被收归为一座优秀的图书馆,形成了日后博物馆的雏形。

　　不久,人们开始运作一个彩票业务,借此募集充足的资金以购买蒙太古大厦,对其进行改建后伦敦就能拥有第一座对公众开放的博物馆了。

　　大不列颠帝国成功地将帝国扩张到了半个世界,这些被统治的地区源源不断地向博物馆提供各种藏品。根据《亚力山德拉契约》,在尼尔森赢得了尼罗河战役后,罗塞达石和许多埃及艺术品都被送到英国。在19世纪三四十年代,人们组织了很多次到希腊和东方的考古活动,希望获得更多古迹(涅雷达纪念碑和亚述浮雕是考古活动的重大成果之一)。

▼罗马复制的《掷铁饼者》。

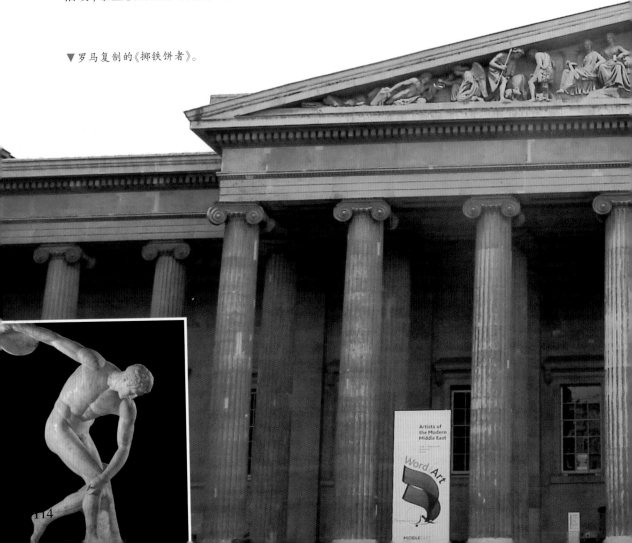

很显然,蒙太古大厦显得太小,还需要一个更有历史纪念意义的建筑,这样才能与那些将被放进大英博物馆的珍宝相匹配。最终,蒙太古大厦不得不被拆除,为大罗素街上宏伟的博物馆入口和门廊腾出空间,因此就连一个院子也被并入了博物馆中,这个院子就是大庭。

1852年,人们开始修建拱顶的阅览室,这个阅览室构成了大庭的一部分,之后,这个圆形的阅览室在历史上成为许多文化名人的第二个家,如卡尔·马克思、萧伯纳和托马斯·卡莱尔。总之,这座新古典主义的建筑满足了当时人们想要一座重现希腊文明建筑的需求。

一旦穿过这座好像在迎接希腊庙宇的门廊后,游客们就到了26 000平方米的展厅,展厅中有大约4 000 000件展品。

除了博物馆固定的运营基金之外,渐渐有新的元素加入进来——有时候会举办特别专题展览,也会将展品轮流展出。

▼大英博物馆。

▼拉美西斯二世。

游览大英博物馆

大英博物馆是一个无止境的人文历史的迷宫。如果要将所有的展厅都集中一一介绍是不可能的，我们只需关注一下一些有特色的时期的展品，尽管博物馆中还藏有许多珍宝。

一进入大庭我们就惊呆了——这座室内的院子完全被玻璃罩住了，十分吸引人。中间的圆柱形就是上文提到的阅览室，四周是钢结构的。

埃及艺术：

● 罗塞塔石。石头上的碑文是托勒密五世的司铎委员会的律令。碑文被翻译成希腊简化字、希腊语和象形文字，这样也就使得从罗塞塔石被发现起，人们可以将符号联系起来，并明白其中的内容，人们甚至可以读出复杂的象形文字的意思。

● 拉美西斯二世的塑像的残余部分(公元前12世纪)，一座从底比斯神庙中运来的巨大的花岗岩塑像。

近东艺术：

● 两头巨大的有翅膀的公牛，有五个蹄和人类的头颅，是古代科尔萨巴德宫(伊拉克)的守护者，公元前7世纪的艺术品。

亚洲艺术：

● 阿弥陀佛塑像，一座中国隋朝(公元6世纪)雕琢的庄严的石佛像。

● 瓷器，尤其是公元15世纪的明瓷器大花瓶。

西亚艺术：

● 古代阿纳托利亚的珍宝。

● 腓尼基财宝和来自叙利亚的一扇玄武岩材质的门。

● 阿姆河流域的宝藏，从古老的苏美尔帝国收藏的黄金制品，制作于公元前7世纪。

欧洲艺术：

● 萨顿·胡船藏，一个大约公元620年建的葬礼仪式大厅。

● 刘易斯象棋，用海象象牙制作的精美的象棋，制作于12世纪，生产地很有可能是斯堪的纳维亚。

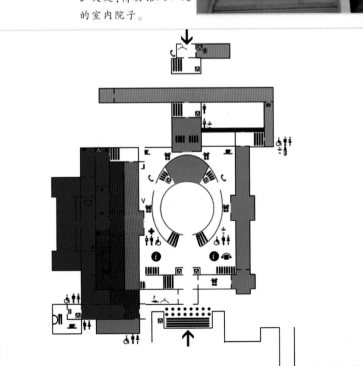

▶大庭，博物馆入口处的室内院子。

▶博物馆主要平面图。

▲ 博物馆街。

离开大英博物馆沿着博物馆街向南走,我们可以看看几家有趣的二手书店。因为布卢姆斯伯里与文化学术世界紧密相连,这片区域内的书店是全伦敦最吸引人的。在布卢姆斯伯里还有许多重要的英国出版社,但是随着时间的流逝,不可避免地出现了房屋紧缺的情况,加上各个国家都来到此地大批购置房屋,布卢姆斯伯里渐渐失去了之前的地区特色。

沿着博物馆街到布卢姆斯伯里路左转,我们就能到达圣乔治教堂。教堂有一条古典的门廊,在教堂外面和内部有许多柯林斯柱子,但是,教堂的标志性建筑其实是在教堂北部的一座塔,这座塔是受到哈利卡纳苏的摩索拉斯陵墓影响而建的,塔上有乔治一世的塑像。我们继续沿着布卢姆斯伯里路向前走两个街区,就到了布卢姆斯伯里广场,这个广场是伦敦城市化进程中的一个里程碑,因为这是伦敦的第一个矩形广场。有一个铭牌记录着这个社区中的众多文人和艺术家,其中有小说家弗吉尼亚·伍尔夫,艺术家邓肯·格兰特和经济学家约翰·梅纳德·凯恩斯。

从布卢姆斯伯里广场穿过南安普顿大道向东走,到了西博尔德道后左转。走到约翰街后再转到道提街,在街道的右边我们就能看见狄更斯故居博物馆了。这座建筑是伟大作家狄更斯居住过的几处寓所中的一座,也是唯一一所保留至今的住处。狄更斯故居博物馆坐落于住宅区中,靠近伦敦老城,并且离泰晤士河河岸不远,是那个时代的一个真正的人群大熔炉,同时也是狄更斯写作灵感的源泉。在那里狄更斯接触到了各种贫穷的人,那种贫穷是人们无法想象的。狄更斯故居有四个楼面,一共10个房间和一个大厅,现在还保留着当初的格局。人们可以看到狄更斯写作的书桌和坐椅,还有许多其他与他生活相关的物品。

◀圣乔治教堂。

道提街的狄更斯

在居住在道提街两年半的时间中,查尔斯·狄更斯创作了《匹克威克传》、《尼古拉斯·尼克贝》(又名《少爷返乡》)和不朽的《雾都孤儿》。

霍 尔 本

布卢姆斯伯里的南面是霍尔本，伦敦的一个犹太社区，也是英国最大的律师社区。

在霍尔本区有皇家法院和一些律师学院，这些庄严的律师学院建造于公元8世纪。如果从狄更斯故居博物馆沿格雷律师学院路向南走，在左边就能看见格雷律师学院，英国第一个权力圣地。14世纪建造的最初的建筑被德国空军摧毁了，之后在50年代，人们重修并扩建了这座建筑。

查尔斯·狄更斯曾作为文书在这座格雷律师学院中工作，不仅如此，在学院的大厅中首次上演了莎士比亚1594年的作品《一个错误的喜剧》。

就像其他的律师学院一样，人们必须通过预约方可参观学院内部，向公众开放的只有学院辉煌的花园。花园中的植物是在17世纪种植的，就像伦敦其他历史悠久的绿地一样，在这些花园中举行过许多次葬礼。园中的一些树木大约有百岁的树龄，而且人们还传说园中的木豆树是弗兰西斯·培根从小插条开始栽种的，这些小插条是沃尔特·拉雷爵士从美洲大陆带来的。

我们继续沿着海霍尔本街向南，那里一下子就能看见斯

▲斯坦普林大厦的院子。

▲斯坦普林大厦。

坦普林大厦，在14世纪的时候那里是一家旅社，许多羊毛贸易者都聚集在那里。从15世纪开始，斯坦普林大厦变成了法官学院（法学院的学生在进入律师学院学习前必须到这里学习）中的一座。从18世纪开始，这座建筑失去了与

法律界的联系，而且人们重修了这座建筑。翻修中人们保留了建筑1586年的木结构外墙，有突出的三角墙，十分特别，是伦敦市内最后一个伊丽莎白时期建筑的典范。

▶林肯律师学院广场。

从斯坦普林大厦向西可以到达林肯律师学院广场。这座宁静的广场被夹在交通繁忙的海霍尔本街和金威路中间。与外部的喧闹不同，广场的花园中满是高大的树木，而广场中的网球场则是律师和附近工作的人最喜爱的地方，人们总是在喝过下午茶后到这里来放松一下。人们已经完全无法想象，这里曾是拦路抢劫泛滥的地方，也经常有凶暴的人在此打架斗殴，直到1735年，人们将这片区域围起，情况才得到改善。此外，在16世纪至17世纪的宗教迫害中，这里经常被用来执行死刑或将其天主教同谋(很多同谋并没有确凿证据，只是被臆断为同谋)肢解。

沃尔特·拉雷爵士

拉雷爵士是一个航海家，也是伊丽莎白二世的同盟者。他是美洲最重要的殖民者之一，也是1584年弗吉尼亚州的创建者。他一生孜孜不倦地寻求黄金国的秘密，同时也将烟草引进弗吉尼亚，把土豆带到了英国。

▼ 用餐时间公园中的典型景象：公司白领享用三明治。

约翰·索恩爵士博物馆

从北面我们可以看见约翰·索恩爵士博物馆漂亮的外墙。这座博物馆是伦敦最奇妙的博物馆之一。这座博物馆也是伦敦历史上最特立独行、最有天才的人留下的遗产。

约翰·索恩爵士,是一个地位卑微的泥水匠的儿子,他凭借自己的努力成为19世纪伦敦最伟大的建筑师之一。由于种种原因或不幸,他的大部分建筑都依据不同的时代进行了改建和缩小。除了是一个伟大的建筑师之外,索恩还是一个旅行家和收藏家,他收藏各种圣物、艺术作品、考古遗迹和许多很难对其进行分类的物件。他一直居住在林肯律师学院广场13号——他亲自设计了这座建筑,而在寓所的房间内摆放着他一生收藏的所有珍宝,直到他去世后,这些珍宝还依然放在那里。

这座建筑简直是一个奇迹,设计天马行空,完全不受任何条条框框的牵制。建筑内部设计也展示了建筑师的天赋。

这里有一些天才的设计:建筑的拱顶被设计得可以让阳光穿透甚至可以照射到地下室;画作展览厅中的镶板可以从一幅画移动至另一幅画(充分利用了空间);在底楼的大厅中有好几面镜子,让光和影如同玩游戏般,这就改变了大厅的空间感;早餐室的天花板设计得有些怪异,看上去像没有深度的圆顶;甚至还有一个模仿僧侣房的房间。

建筑内部有几千件物品可供游客欣赏,其中有希腊和罗马的雕塑和大花瓶、许多瓷器作品和许多珠宝(从埃及甲虫到文艺复兴时期的作品)、14世纪到17世纪的玻璃窗、印度细密画、中世纪雕刻和建筑的碎片、文艺复兴时期的铜器,甚至还有一个埃及塞提一世时期的金色石棺,上面还有象形文字。

▼约翰·索恩爵士博物馆。

林肯律师学院

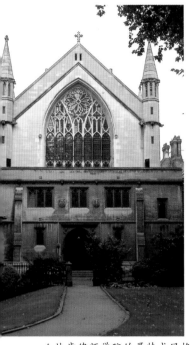

▲林肯律师学院的哥特式风格建筑。　　　　　　　　　　　　　　　　▲老古玩店。

　　林肯律师学院就在林肯律师学院广场的东南角，是最吸引人、最有趣的律师学院，学院所在的建筑修建于15世纪末至16世纪初，且保存完好。

　　旧厅建于1490~1520年间。在1737~1883年，这里曾经作为司法部的总部。1843年，人们又在旧厅旁修建了新厅和图书馆，新建的这两座建筑是都铎哥特式风格的。这座图书馆于1497年开始建立，后来成了英国最古老的藏书处，当然，那里还收藏着最完整的英国法律典籍。图书馆的建筑采用了哥特式风格。其中值得一提的是一个做工精良的18世纪的六角形讲道台，还有南面的窗户，这扇窗户制作于18世纪，在1915年被齐柏林飞艇炸碎后又被修补好了。

　　绕过广场，沿着朴次茅斯街南下，街上的老古玩店常会引得路人驻足。人们通常认为就是在这家古玩店的基础上，查尔斯·狄更斯发展创作了他的小说，然而许多专家不认可这个说法，他们认为应该是一家在雷斯特广场上的店。虽然关于狄更斯的这个传说无从考证，但是这座建筑确有其特殊的价值。1666年经过伦敦大火后，这座建筑变得有些古怪。

▶林肯律师学院。

斯特兰德大道

▲皇家法院全景。

我们向右转走上金威路，在左边有伦敦政治经济学院，一直向南走到奥德乌奇新月区，然后我们就可以走上斯特兰德大道。这条大道曾是古代伦敦最主要、最繁忙的街道之一。

这条大道的职能是联系起伦敦老城和威敏斯特区，这两片区域是伦敦人日常生活的核心区域。

"斯特兰德"这个名字本身指的是河岸或岸边，因为斯特兰德大道与泰晤士河平行，当这条大道作为交通主干道时，泰晤士河的水路比现在的水路长得多。

如果我们向威斯敏斯特方向走，我们首先看到的就是圣玛丽勒斯特兰德教堂。教堂建在一座小岛上，非常美丽，略带一些巴洛克风格的特点。这座教堂的过去常常和辉煌、贵族联系在一起，而现在商业和交通是这里的主题。负责建造这座教堂的建筑师是詹姆斯·吉布斯，圣马丁教堂也是他的作品，在圣玛丽勒斯特兰德教堂的设计中，建筑师布局精良，将直线条和弧线结合得十分典雅。走过圣玛丽勒斯特兰德教堂，在我们右边就是斯特兰德巷。斯特兰德巷5号是罗马浴场。尽管罗马浴场的名字中有"罗马"，但是大家都知道这个砖砌的浴场和罗马人完全没有关系，而很有可能是都铎王朝的浴场。都铎王朝曾经生活在这片区域。

我们沿着斯特兰德大道的右边向东走，就到了圣克莱门特丹麦教堂。很有可能是因为在诺曼底攻占前这里曾有一座丹麦人建的教堂，所以圣克莱门特丹麦教堂才被叫做丹麦教堂。这座教堂也被认为是哈罗德一世和其他丹麦领袖的长眠之地。今天我们看到的这座教堂是1958年在教堂残留部分基础上重建后的样子（原来的教堂在1941年被纳粹炸毁）。原先的教堂是克里斯托弗·雷恩于1681年建造的。

▶维多利亚塑像。

▲教堂大钟。

教堂的尖顶奇迹般地在轰炸中幸免于难,而教堂17世纪的大钟,曾经重复敲出著名的童谣《橘子和柠檬》,却没有这么好的运气,在轰炸中坠落到地上。1957年,大钟的其他部分被重新浇铸,之后就成了今天我们看到的这座钟,依然一天四次敲击出相同的旋律。由于教堂受损情况太过严重,尽管人们按照教堂原本的设计进行重建,但是原本的风采还是渐渐消失了。教堂重新矗立起来后,这里就一直是空军的教堂。

下午茶时间

走过教堂,在斯特兰德大道上有一家传奇式的、小型的川宁茶叶店,建于1706年。茶叶店的门制作于18世纪末,这扇门十分令人好奇,门上有一只金色的狮子,当地人都管这只狮子叫"金狮"。这座家庭式经营的茶叶店是伦敦根基最深的企业总部。

就在圣克莱门特丹麦教堂对面,矗立着皇家法院和法院的附属建筑。法院所在的建筑是一座维多利亚晚期的哥特式风格的建筑,十分庞大、复杂,有将近1 000个厅和5 000多米的过道。在法院内部,有一系列的纪念性饰物完全遵循基本的哥特风格的规则,而不采用凭空的装饰或混杂同时期其他建筑的装饰。从外面一眼看去,游客很有可能被误导,因为法院的塔楼、雉堞和塔尖都让人觉得这是一座13世纪的大教堂。经过极其严格的安全检查后就可以进入这座建筑了,值得人们驻足一看的是法院大厅中的美丽的马赛克地砖。在我们前往伦敦老城之前,我们还要到斯特兰德大道的另一端——奥德乌奇的西面游览一下。这样我们可以先回到兰卡斯特广场,或者就沿着斯特兰德大道的支路向泰晤士河方向走,然后在维多利亚堤转弯,一直走到维多利亚堤街。

▼皇家法院。

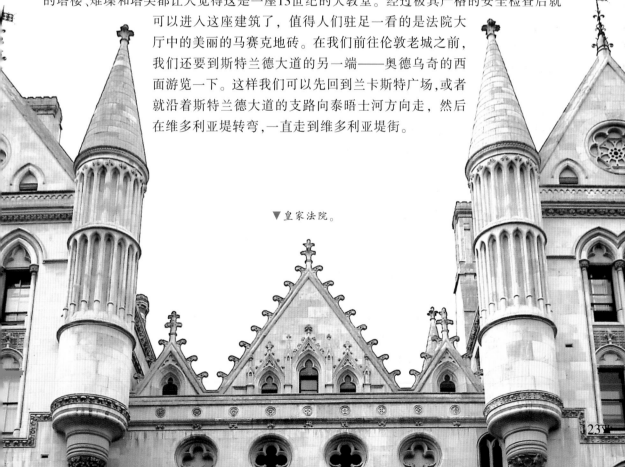

萨默塞特中心

萨默塞特中心坐落在斯特兰德大道和兰卡斯特广场形成的夹角中,是一座令人印象深刻的建筑。这座建筑曾是萨默塞特公爵的宅邸。后来,这座建筑被皇室购得,雅各布一世、查理一世和查理二世的王妃都曾居住在其中。再后来,这座建筑就废弃了,最后被拆除。

1770年,威廉·钱伯斯建造了一座宏伟的建筑,职能是作为不同国家机构的总部。这座建筑中还有三个艺术展。这座声势浩大的四方形建筑的周围有一个巨大的院子,院中有55个喷泉。面向泰晤士河一面的建筑外墙最为壮观,外墙采用了帕拉迪奥风格(墙上的拱形悬空在泰晤士河河岸上,以前一直延伸出很长),有大约250米长,从滑铁卢桥上可以清楚地看到。

近处,我们继续往西走,在斯特兰德大道上我们可以看到传奇的萨沃伊剧院和萨沃伊酒店。萨沃伊剧院是伦敦第一座使用电灯照明的剧院,没多久后,其他的剧院一家接一家地取得了成功。

萨沃伊酒店的外墙很简朴。建筑中创伦敦先例的是,采用了电梯、电灯,甚至每个房间都有独立的卫生间,这引起了伦敦社会的震动。酒店的装饰丰富,大量采用了那个时代的新艺术派元素。

游览萨默塞特中心

考陶尔德画廊:

印象派和后印象派最优秀的作品及其他画作:老勃鲁盖尔(油画《出埃及》)、范戴克、波提切利、庚斯博罗、戈雅、鲁本斯(《耶稣下凡》和《月光下的景色》)、图卢兹·劳特雷克、瑟拉、马奈、莫奈、雷诺瓦、塞尚·莫迪利亚尼和凡·高(《割耳自画像》)。

吉尔伯特装饰艺术收藏馆:

装饰作品:金银制品、18世纪意大利马赛克作品、微型搪瓷作品、各个世纪的欧洲银币和瓷器作品。

艾米塔奇展室:

阶段性展示圣彼得堡艾米塔奇博物馆的展品。

▼马奈《福利·贝热尔的吧台》;凡·高《割耳自画像》;高更《永远不再》。

维多利亚堤花园和埃及艳后方尖碑

在萨沃伊酒店的对面，滑铁卢桥和亨格福德桥之间是维多利亚堤花园。从这座美丽的花园中可以看到泰晤士河对岸的全景，在夏季，花园中会举办很多次露天音乐会。花园里有约克宫水门，这个设施几乎没有被使用过。

这扇门是约克宫的遗迹。附近的小街道上住着许多名人，如哲学家大卫·休谟和让·雅克·卢梭。

当公爵从泰晤士河上过来，这扇门就是拴住公爵游船的平台。因为门还依然在其原来的位置，这就是说在维多利亚堤建立之前泰晤士河可以一直通到那里。

埃及艳后方尖碑

在维多利亚堤花园旁边有一座纪念碑，这座纪念碑是伦敦所有纪念碑中最神秘、最怪异的一座。这就是埃及艳后方尖碑，高21米，粉红色花岗岩材质。

这是希腊1819年赠予大不列颠的礼物。方尖碑是公元前1500年凿刻的，所以说它比整个伦敦的历史都长，和另一座相同的方尖碑（被摆放在纽约的中央公园）一起，曾经都摆放在赫利奥波利斯的太阳庙的大门两边。碑上的铭文是一篇祷文，祈求阿图姆神帮助图特摩斯的王国，也是图特摩斯下令建造这两座方尖碑的，因此，这两座方尖碑其实与埃及艳后并没有关系。

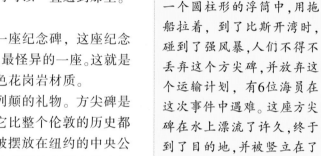

方尖碑的灾难

公元前12世纪，方尖碑被运往亚历山大港，在路上方尖碑被淹没在了黄沙中，直到19世纪才被发现。之后，当人们将这座方尖碑运往英国时，第一艘船在出航不久后就沉没了，被捞起后，人们将这座方尖碑放在一个圆柱形的浮筒中，用拖船拉着，到了比斯开湾时，碰到了强风暴，人们不得不丢弃这个方尖碑，并放弃这个运输计划，有6位海员在这次事件中遇难。这座方尖碑在水上漂流了许久，终于到了目的地，并被竖立在了泰晤士河边，就这样，方尖碑就被说成是被诅咒过的了。

有传说讲这座石碑是经过诅咒的，而事实上，确实有一些文献记载灾难与这座石碑有关。在竖起这座石碑时，人们在石碑下埋藏了一些物品，有城市的地图、一些钱币、《泰晤士报》的样板、一把剃刀和一些那个时代的最美的人的相片等。

1917年，这座方尖碑被炸弹击中，不过没有受到太多的损坏。击中方尖碑的炸弹据记载是最早坠落到伦敦的几颗炸弹中的一颗。

◀萨默塞特中心。

查灵十字街

查灵十字街车站入口处的院子中有一个复制的十字架,那里埋葬着卡斯蒂利亚的莱奥诺,查灵十字街也因此得名。

▲查灵十字街。

这座十字架矗立在泰晤士河上,是伦敦一座后现代主义建筑。这座建筑是钢材和大理石结构的,采用了古典十字架的形状。这座建筑最吸引人之处在于规模巨大,这一点甚至比建筑的美感更吸引人。

我们继续向查灵十字街的北面走,前去参观这片区域的最后一个景点:柯芬园。穿过斯特兰德大道,沿着特拉法加广场走上圣马丁巷。右边是伦敦大竞技场剧院,剧院顶上的醒目的金色大球欢迎人们来到这片区域。这片区域中集中了伦敦许多重要的景色。

当奢华的大竞技场剧院开幕时,市民都十分期待,因为这是第一座拥有移动舞台的剧院。从1968年起,这里就成了英国国家歌剧公司的总部。

继续沿着圣马丁巷往北,走过朗埃克广场后在左边马上就延伸出了大新港街。街上的5号到8号有一个独立的展览馆。所有喜爱现代摄影的人都应该在这个展览馆停留参观,因为这个展览馆就是摄影艺廊,那里经常举办一些重要的展览,并且组织了欧洲最著名的摄影类奖项——摄影奖。

重新回到蒙茅斯街,就是圣马丁巷的延伸段,继续前进就到了一个4条街道交汇处,这几条街道可以通向7个方向,于是,这个地点被叫做七盘,是铸币厂主管托马斯·尼尔爵士在1693年设计的一个别出心裁的饰物,用来装点这座城市。

◀七盘。

▶大竞技场剧院局部。

七盘这个名字指的是一根柱子，柱子上有7口太阳能钟，分别指向岔口的7个方向。1773年，这根柱子被搬到了卫布里奇绿地。1989年，在七盘原来的地方人们又复制了一根同样的石柱。这片区域中比石柱更广为人知的是，在很长一段时间内，这里一直都是著名的犯罪高发区的中心，就像狄更斯在他的作品《凄凉之屋》中所描写的那样。

　　沿着厄勒姆街向东就走到了尼尔街。尼尔街是一条商业街，从那里往南就是柯芬园的中心。

　　经过柯芬园车站后，尼尔街与詹姆斯街相交，而詹姆斯街与花卉街交叉。我们向右走上花卉街，在左面罗斯街上有一条隐秘的陋巷，那里有"神秘的羊肉和国旗"酒吧，这座酒吧建于1623年，之后人们将其称为"血桶"，因为那里经常发生流血暴力斗殴事件。

　　向左走，马上就到了皇家歌剧院。歌剧院所在的建筑采用了古典主义风格，音响效果十分出色。在门廊两侧撑着6根巨大的柯林斯石柱，石柱上还有罗西的雕刻，在门厅下有约翰·弗拉克斯曼做的漂亮雕带，雕带上表现有喜剧和悲剧。

　　90年代末，皇家歌剧院经过了几次成功的改革，显得生机勃勃，1999年12月4日重新营业后，这座歌剧院毫无疑问地成为全球歌剧的中心之一。新歌剧院在主音乐厅旁有两座新音乐厅，其中一个新音乐厅有400个座位，适合举行小型的音乐会或作教学用，另外一个厅有大约120个座位，是皇家芭蕾舞团表演练习的场所。

▶皇家歌剧院。

柯 芬 园

沿着詹姆斯街一路向南走,尽头就是柯芬园。柯芬园最初是威斯敏斯特教堂一群僧侣种植的一片花园。

当教皇下令解除君主的权力时,皇室宣布将土地卖给了第一位贝德福德伯爵,于是伯爵建造了一座朝向斯特兰德大道的小宫殿。

1630年,第四任伯爵弗兰西斯·罗素是一个商人,也是一个十分有天赋的投机商,他有查理一世颁发的执照,可以将土地城市化,在土地上建立精巧的、可以盈利的住宅区。

但是,伯爵本人也必须出资帮助发展和美化伦敦,因为查理一世和他的城市化顾问伊尼戈·琼斯希望可以将伦敦建设成可以与其他欧洲大城市相媲美的城市。

住宅广场的典雅和整齐十分吸引贵族和早期的中产阶级。

周围大多数建筑的历史可以追溯到19世纪,其中,一个水果蔬菜市场(柯芬园市场)占了住宅广场很大一片区域。

市场不同部分的屋顶都采用了光彩夺目的设计,结合了铁和玻璃结构,是维多利亚时期古典风格工程的源泉之一。

▲柯芬园市场内部。

▼柯芬园市场的展厅。

这座市场一直在发展壮大，到了19世纪末已经成为英国最重要的市场了。在经营了300年后，这片区域进行了改建，柯芬园市场被搬到了奈恩埃尔姆斯区。从那时起，福勒区有饭店、贸易和面向游客的小摊，在其周边地区还有许多街头艺人，这也是这片区域的一个传统，据记载，在17世纪下半叶这片区域还有木偶表演。

▼市场内部的商店。　　　　　　　　　　　　　　　　　▼旋转木马。

圣保罗教堂和伦敦交通博物馆

▲伦敦交通博物馆。

利沃诺广场是一座令伊尼戈·琼斯眼花缭乱的意大利风格的广场，广场上保留有很多类似于柯芬园的元素，但是有一样与柯芬园完全不同：一座教堂。当然，琼斯不能在计划中加入一座教堂，但是确实在广场的西部建起了一座：圣保罗教堂。这座教堂的重要性不仅仅在于其建筑上的意义，也有其宗教意义。一方面，这座教堂满足了居住在这片区域的

艺术家的教堂

圣保罗教堂一直被认为是演员常去的教堂，因为这座教堂与戏剧界紧密相连。在教堂的最西端可以看见一些长眠于此的演员的名字和一些圣保罗教区的演员的名字。

杰出人士的需求，另一方面，这座教堂也是英国圣公会改革后建起的第一座教堂。

这种双关性引发了一个利益冲突，也使得圣保罗教堂成了一座极其特别的建筑。根据琼斯的计划，建筑的东面外墙是整座建筑的焦点。但问题是，东面作为教堂的入口，这样就必须要将圣台移到西面，而大主教和牧师都不肯让步，因此，面对广场的门厅保留了一个假门，而实际教堂的入口是在贝德福德街上。

外部和内部的位移是圣保罗教堂特有的，也十分令人迷惑。这座教堂并不豪华，看上去完全符合贝德福德伯爵的要求：要建造得稳重和节俭，看上去不比一座谷仓好多少。琼斯回应说，根据霍勒斯·沃波尔的说法，这是英国最漂亮的一座谷仓。尽管教堂完美地结合了简朴和典雅，但是绝对没有廉价的感觉。

伦敦交通博物馆

在利沃诺广场的东南角是伦敦交通博物馆。这座博物馆向参观者展示了伦敦交通工具的发展和进步，从以前的有轨车到现代的地铁列车。1993年，经过彻底的重新布局和改革后，这座博物馆开始对公众开放，从那时起，博物馆的展览开始变得更有教育意义，也更有趣味。在展览中加入了新的科技元素，如互动屏幕，并且特别注重与儿童的互动。

◀圣保罗教堂。

国家剧院博物馆

▲ 国家剧院博物馆——回顾英国戏剧的历史。

　　接下来的一座博物馆是坐落在罗素街和惠灵顿街夹角上的国家剧院博物馆。尽管这座博物馆的规模很小，但是它仍然占了不少空间。博物馆内的展品在搬到此处之前，曾摆放在维多利亚和阿尔伯特博物馆。博物馆中有16世纪到20世纪的展品，向参观者展示了英国戏剧的历史。在国家剧院博物馆的展厅中人们可以看到精选的海报、令人印象深刻的礼服和西装、旧的剧目和入场券、已经不再上演的剧目的片断、场景的模型、建筑平面图、舞台的机械设备、剧本、戏剧作品的装饰、木偶、摄影作品、画作和催场员使用的提词板等。博物馆最后建成的是影像中心，是对之前已经有的音像资料的一个补充，也收藏有艺术家和演员的表演资料和访问资料。

伦 敦 老 城

今日的伦敦老城最有特色的是17世纪至18世纪二次城市化时期兴建的建筑与现代新建起的建筑之间的强烈反差。这些新建筑构成了伦敦的金融中心。

伦敦老城曾是罗马人的定居地，那里地理条件非常好，水质清澈，军队防御完备，而且河道并不复杂，易于航行入海。罗马驻军建成了这座城市的雏形，并为这座城市修建了一座城墙，共有7个入口。

后来，人口和经济的发展使得伦敦老城开始向西面的威斯敏斯特区扩张，威斯敏斯特区是伦敦最初的城市中心之一。中世纪时，在伦敦老城出现了行会企业，标志着稳定规范的贸易的出现和发展。伦敦老城的重要地位使得国王胡安在1215年将这片区域确立为独立的自治区，之后，他的儿子亨利三世尝试着削减伦敦老城的特权，最后，爱德华一世取消了老

伦敦老城是英国重要的经济中心,伦敦的多数银行和证券交易所都集中在这片区域。严格来说,伦敦老城就是从弗里特街到英格兰银行和伦敦大火纪念碑的区域。伦敦大火纪念碑也被叫做纪念柱,为了纪念发生在1666年摧毁伦敦的大火。

城的所有特权。再后来,伦敦老城还是取得了自治权,因为毕竟那里曾是资产中心。另一方面,与伦敦老城相关的最近的历史事件是:1666年的伦敦大火(大火烧毁了13 200幢房屋、87座教堂和44座行会总部,皇家证券交易所和市政厅几乎被烧成了灰烬,但是有些难以理解的是,大火中仅有9人死亡),还有第二次世界大战期间德国空军恐怖的轰炸。

弗 里 特 街

弗里特街被称作"墨水街",因为16世纪初,在这条街上有伦敦重要的印刷厂。之后,许多英国的国家级日报都将总部设在了这条街上,使得"墨水街"更加名副其实。

弗里特街与文字的联系可以追溯到大约1500年,当时有一家活字印刷厂搬到了这条街上。从那时起,越来越多的印刷厂、出版社、装订厂,甚至还有书店都相继搬到弗里特街上。

此外,在16世纪至17世纪间,弗里特街上满是茶馆和咖啡馆,作家和演员经常在那里聚会。实际上,这些作家和演员中的许多人渐渐搬到了弗里特街附近的街道居住。弗里特街上依然保留了一些当时的聚会之处,如叶欧德柴郡干酪,是一个在弗里特街145号的小通道上的酒吧,是伦敦大火后重建的。许多伟大的作家都曾在那里喝酒小憩,比如萨缪尔·佩皮斯、马克·吐温、查尔斯·狄更斯、叶芝和柯南·道尔等。

之后许多报社也搬到了弗里特街,其中最早的是1702年迁入的《每日新闻报》。从19世纪末到20世纪初,有更多著名的报社也搬迁到了弗里特街。

▶典型的弗里特街上的住宅。

▼英国作家常去的叶欧德柴郡干酪酒吧。

圣　殿　区

　　圣殿吧纪念碑坐落在皇家法院对面,将斯特兰德大道的末端与弗里特街的开端分隔开来。这座纪念碑的职责是标出伦敦老城的入口,因此,纪念碑也是伦敦老城和威斯敏斯特区的分界。在这座纪念碑(几年来成了伦敦老城的非官方标志)的基座上有4幅浅浮雕,告诉人们现在的这座纪念碑是之前的旧纪念碑的替代品。旧纪念碑有3面,1878年,人们对街道进行重新规划时将旧纪念碑拆除掉了。

　　每举行官方庆典,并且皇室要进入伦敦老城时,按传统,皇室必须要取得市长的许可才能通过圣殿吧这条界线,这真是历史上的一件怪事。过去的伦敦市长将城市之剑交给统治者,然后国王马上转身,在皇室随从面前挥动这支剑,表明守护城市的安全是他们的职责。

　　在法院前的另一条街上,有一些建筑、小通道、广场和花园,组成了圣殿的一部分。

◀圣殿吧纪念碑划出了伦敦老城和威斯敏斯特区的界线。

▶中圣殿街的全景。

▼维多利亚堤的入口。

▲圣殿区主入口的大门。

圣殿的名字源于圣殿骑士团,这是一个1119年成立于耶路撒冷的宗教十字军团,这个军团的职责是保护前往圣地的朝圣者的安全。在英国亨利二世统治时期,圣殿骑士团将他们的营房驻扎在了这片区域。

1312年,圣殿骑士团被下令解散,因为所有的土地和建筑都被皇室收走了。之后,这片区域被用来安排学生住宿,并且建起了两所律师学院:中殿律师学院和内殿律师学院,这两座学院至今依然存在。

如果想要参观这些律师学院,游客可以穿过拱门从弗里特街走到中殿巷,中殿巷向北一直通向维多利亚堤。

在中殿巷的右边是中殿律师学院的建筑。其中最有特色的是中殿大厅,女王伊丽莎白一世曾为这座会议厅揭幕。会议厅制作精良的双重木制天花板上有宽阔的弓形结构,这些弓形结构是当时最辉煌的建筑形式之一。

1602年2月2日,莎士比亚的剧团在这里演出过《第十二夜》。

在中殿巷的左边是乔治风格的内殿大厅。在南面,从王座法庭街可以走入内殿花园,花园面向泰晤士河。

▶古时候圣殿骑士团的总部。

▲圣殿广场、海尔法庭。

▼圣殿教堂。

圣 殿 教 堂

毫无疑问,圣殿区最吸引人的建筑是圣殿教堂。这座圆形的教堂修建于1185年,模仿了耶路撒冷的圣葬教堂的风格。圣殿教堂位于内殿大厅的北面,是英国依然保留着的五座中世纪圆形教堂中的一座。教堂最初的结构和1240年修建的大祭台都在1941年被德国军队的抛射弹破坏了。

圣布莱德教堂

　　沿着弗里特街向东走,在到达拉德盖特广场之前,在我们的左边先延伸出了布莱德巷,这条巷子通向圣布莱德教堂。20世纪50年代人们对教堂的地下进行了挖掘活动,在教堂地下人们找到了几座先前的教堂的遗迹;在墓地下人们还找到了一些罗马建筑的遗迹。

　　1940年,德国空军袭击时,圣布莱德教堂被炸塌了。幸运的是,教堂最有特色的部分——巴洛克风格的八角形塔尖被保留了下来。这座教堂是雷恩负责建造的教堂中最高的一座,也是伦敦最高的教堂之一。教堂重建的工作包括一些新添的装饰,如圣保罗和圣布莱德的塑像,教堂就是为这位公元6世纪的爱尔兰圣人所建的。

　　圣布莱德教堂被人们认为是出版业教区的教堂,尽管很多年前,主要的报社和新闻社都搬离了这片区域。最近的一个纪念物是2003年在那里挂起的一块铭牌,纪念在伊拉克去世的18名记者。

　　拉德盖特山从露德盖特广场开始升高,在山顶圣保罗大教堂俯瞰着整个伦敦老城。

　　在途中我们可以看到拉德盖特圣马丁教堂,在1687年雷恩完成了对教堂的重修。这座教堂本身并没有什么特别之处,但重要的是,从这座教堂开始,人们可以看到雷恩在重修这片区域时非凡的组织能力,这片区域在1666年被伦敦大火摧毁过。

　　拉德盖特圣马丁教堂有一座尖顶塔楼,塔楼的高度被特意设计过,为的是让这座塔楼可以与圣保罗教堂的塔楼产生一定反差。

　　雷恩的建筑作品展示出了一个经过研究的全景,但是人们却无法预见到时间的步伐,以及其他类型的城市化影响(比如现代的办公塔楼),还有始终包围在四周的机动车。

▼圣布莱德教堂。

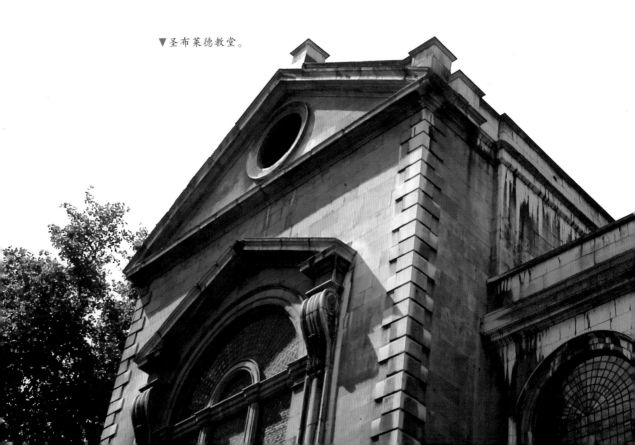

圣保罗大教堂

在圣保罗大教堂的所在地有好几座罗马入侵后建成的教堂(如崇拜戴安娜的教堂)。那些到伦敦传教的基督徒面对伦敦恼怒的非基督徒十分绝望:在伦敦,文人战胜了戴安娜,在托尼岛的郊区,人们为阿波罗焚香。

公元604~610年间,肯特的埃赛尔伯特将这座教堂改成了一座基督教堂,但是,在几个世纪间教堂还依然保留着许多非基督教的遗迹。

克里斯托弗·雷恩负责重建被伦敦大火烧毁的大教堂。圣保罗大教堂不仅仅是雷恩的巅峰之作,同时也是伦敦大火后重建计划的一个关键点,而且,这座大教堂还是一座从纪念性和宏伟程度上都可以与威斯敏斯特教堂媲美的建筑。

圣保罗大教堂的外部比教堂巨大的巴洛克风格的内部更明亮,也更有原创性。在石头台阶前,有一座安娜女王的塑像。大教堂入口处的门厅上有两排柯林斯石柱,顶端有一面三角墙,上面刻有圣保罗皈依的情景,这幅雕刻是弗朗西斯·伯德的作品。大教堂顶部的圣保罗的雕像也是弗朗西斯·伯德的作品。在教堂的两侧竖立了两座巴洛克风格的塔,这两座塔破坏了门廊的直线性。

按照中世纪大教堂的传统,教堂的平面必须是十字形的。重建后的教堂外墙上有更多的波特兰石材和柱子。教堂十字厅堂的两翼上有珍贵的半圆形柱廊。

北门厅的三角墙上有斯图尔特家族的标志,南面的墙上有凤凰和涅槃的传说,意指新的圣保罗教堂是在老教堂的废墟中重新建立起来的。

最大的钟

在教堂南部,在一座钟塔上有英国最大的钟,大保罗钟,每天在13个钟点各敲击5分钟。

▼圣保罗大教堂。

然而，教堂最重要的建筑元素是建在平面十字交叉处上的巨大拱顶，这个拱顶同时也让圣保罗教堂闻名于世。英国圣公会的极端人士曾严厉地批评这个拱顶，说看上去像一个罗马天主教的建筑元素，并命令采用传统的塔尖。

教堂的拱顶结合了哥特式风格和教堂的传统风格，效果十分新颖，令人惊奇。圣保罗教堂的拱顶被认为是世界上第二大拱顶，世界上最大的是圣彼得教堂的拱顶，而且建造这样的拱顶是一件十分有挑战性的技术工作。实际上，教堂的拱顶一共有两个：外面的一个是木质结构的，上面覆有铅；里面的一个是砖结构的。

▼圣保罗大教堂的拱顶。

游览圣保罗大教堂

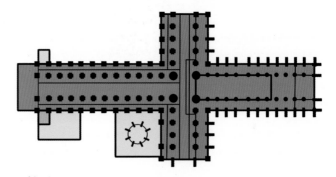

拱顶

在教堂南殿有电梯，可以将人们带到通向拱顶的3个停留处：

● 回音廊，一圈绕着拱顶内部的走廊。如果一个人在墙边说话，他的声音会从回音廊传遍整个圆周，另一边的人也听得到。

● 石回廊，可以让人们看到城市的全貌。

● 金回廊，让人们可以从110米的高空俯瞰整座城市。

内部

圣保罗大教堂首先给人留下深刻印象的是教堂宏伟的建筑和宽敞的内部。教堂中有许多值得参观的地方，这里我们向游客推荐其中的一些：

● 拱顶下的十字平面交叉处。八幅巨大的壁画展示了圣保罗的生活场景和装饰拱顶的辉煌使徒马赛克镶嵌画。

● 拱顶室和唱诗处的墙壁。其上装饰有色彩鲜艳的马赛克，东面的主题是耶稣，而西面展示了创世纪时的鸟、兽、鱼等。

● 祭台。最初的祭台装饰屏被炸毁，但又有了一座新的大理石祭台，祭台上的顶棚是橡木制的，十分壮观。

● 海军上将尼尔森议员纪念碑。在纪念碑的基座上有图画分别象征北面的波罗的海、地中海和尼罗河。

● 地下室。那里可以看到许多名人的名字：威廉·布雷克、弗罗伦斯·南丁格尔、亨利·摩尔、约翰·康斯太勃尔、托马斯·劳伦斯爵士（更为人所知的称号是阿拉伯的劳伦斯）和亚历山大·弗莱明等。特别的有：

● 克里斯托弗·雷恩的坟墓，这座墓的墓志铭十分有名：如果你想看一看雷恩的纪念碑，那就看一看你的周围吧。

● 海军上将尼尔森的墓。尼尔森的棺材是用一座法国大船的桅杆造的，而坟墓是大理石材质的，设计于16世纪，最开始的时候是为红衣主教沃尔西准备的，后来又成了为亨利三世准备的，但是这座坟墓直到尼尔森去世后才有了用武之地。

▲ 圣保罗大教堂的三角墙局部。

从圣保罗车站向东走前,我们建议可以先去伦敦老城的北部逛一逛。我们向左边走上钮格特街,到了吉尔茨普街转向北边。

在吉尔茨普街与考克巷的街角派伊角上,有一个胖男孩的形象,这个小小的金色塑像是为了纪念1666年伦敦大火而建的,人们将大火归因于伦敦人的贪嘴。

再往前就是露天的史密斯菲尔德广场,14世纪时人们在那里举行马战。

从那里我们可以看见巨大的史密斯菲尔德市场,这是一个维多利亚时期的肉市,现在依然还在,市场典雅的外部让人感觉是一个火车站。在史密斯菲尔德广场的另一边是圣巴塞洛缪医院。1123年,亨利一世的一个宫廷艺人佳能·雷西尔在一次朝圣中见到了圣巴多罗马后成了一个奥古斯丁信徒,并创建了一所医院和一座小修道院。

再向北一些,往布展览会的方向有大圣巴多罗马教堂。这座教堂是伦敦最古老的教区教堂。和圣殿教堂一样,这座教堂虽然已经不完整,但是依然是伦敦中世纪建筑的一个很好的范例。在改革后,整座教堂被皇室出售给了理查德·理奇爵士,而且他负责拆除了教堂中殿。

后来,教堂的走廊被用作马厩,而教堂其中的一个圣堂(圣母堂)被用作印刷厂,顺便提一下,本杰明·弗兰克林就曾在这个印刷厂作学徒。教堂最有趣的就是大祭台和十字架,这两样都是教堂最初建造时就有的,都带有明显的诺曼底风格,就像那些光秃秃的拱门和扁圆的柱子一样。

圣母堂是整座教堂中最需要重修的部分,因为这里曾被当做一个工厂使用。在教堂的中殿,祭台的北面有一个坟墓和建造者的遗骨。除了建筑上的特色外,大圣巴多罗马教堂中有一种很特别的氛围,一种不属于那个时代的宁静感,让这座教堂感觉更像是一座罗马伊比利亚教堂,而不是一座英国圣公会的教堂。

大圣巴多罗马教堂在1666年的伦敦大火中幸存了下来,也挨过了第二次世界大战时德国的轰炸,如今这座美丽的教堂已经成为了许多电视剧和电影的取景地,如《四个婚礼和一个葬礼》和《莎翁情史》等。

◀ 圣保罗塑像。

巴 比 肯

　　从布展览会可以到达巴比肯街。巴比肯街的名字字面上的意思是"毛料市场"，这条街的历史可以追溯到中世纪和伊丽莎白时期，当时这里有英国主要的一年一度的衣物市场。

　　走过巴比肯火车站后，我们就走入了榉树街，再向右转就走入了丝绸街。

　　在丝绸街上就是巴比肯中心的宏伟的入口。巴比肯中心是一个现代的综合城市区，有居住、商业和艺术的功能。

　　这个特别的建设项目的最初可以追溯到第二次世界大战战后的几年，当时这片区域不过是一片被战争摧毁的广阔的土地，接着就开始了对这片区域的重建计划。

　　1964年，人们决定将皇家莎士比亚公司和伦敦交响乐团的总部设在这片区域，于是，人们就在巴比肯区建了一个中心，其中有一家书店和一座美术馆。

　　从技术上和文化上讲，巴比肯中心很好地履行了它的职能：一方面，在它的音乐厅中有英国最好的交响乐团，并且在巴比肯美术馆经常会举办大规模的摄影展；另一方面，中心的空间宽敞，音乐厅的音响效果十分出色。

　　然而，这片区域的建筑并没能取悦众人，游客总是迷失在交结成团的街道和通道中，塔楼松散地分布在这里，几十平方千米的混凝土建筑确实是这片区域毫无争议的主导。

　　因此，当相关负责人对这片区域的建筑进行美学研究后，除了一座葱郁的温室之外，人们还在这片区域加建了绿地和小湖泊，让人们可以在这片灰色的混凝土区喘息一下。

　　近年来，为了使这片区域摆脱与世隔绝的状态，人们提出了几个计划，最后，人们采用了其中一个计划，让巴比肯艺术中心成为伦敦交响乐团的总部，并参与举办音乐会。人们首先去除了建筑表面的铁锈，用灯光装饰建筑外墙，帮助打破这片区域之前的形象。

◀巴比肯中心。

伦敦博物馆

　　既可以从巴比肯中心向南走，或者从巴比肯地铁站沿着阿尔德斯格特街走到伦敦墙，在两条街的街角上就是伦敦博物馆，伦敦最具创意、最吸引人的博物馆之一。

　　每隔一段时间，博物馆中就会添加一些新展品（一部分是伦敦新挖掘出的考古遗迹），让博物馆总是充满新鲜血液。

　　伦敦博物馆的展品主要来自基尔德霍尔博物馆，基尔德霍尔博物馆从1825年起开始收集与伦敦老城和城郊区域的历史有关的文物。博物馆的展品有一部分还来自另一座伦敦博物馆。在城市中，还另有一座伦敦博物馆，建于1911年，最初位于兰卡斯特宫，后来又搬到了肯辛顿宫，展示了城市社会学和文化方面的历史。

▲伦敦博物馆展厅内部。

　　博物馆展品的第三个来源是伦敦老城在20世纪八九十年代城市化进程中举办的一些活动。

　　让我们向南走，重新回到伦敦老城。我们从伦敦博物馆沿着圣马丁勒格兰德街向南走，走到左边延伸出的格雷欣街，在这条街上就有我们此行的第二站：基尔德霍尔。

▲伦敦博物馆的印刷厂。

游览伦敦博物馆

　　在《伦敦前的伦敦》展馆中，游客可以近距离感受伦敦经过罗马时期、撒克逊时期、中世纪、都铎王朝、斯图尔特时期、18世纪和维多利亚时期一直到20世纪的历史。

　　值得推荐的有：

　　● 萨瑟克的罗马壁画，作于公元前2世纪。

　　● 1954年找到的米特拉教堂的雕塑。

　　● 斯图尔特王朝早期戚普塞的珠宝收藏。

◀伦敦博物馆的主入口。

基尔德霍尔、伦敦老城
市政厅艺廊和班克

▲基尔德霍尔。

▲伦敦老城市政厅艺廊。

▲大厦之屋的外墙。

市长和皇室成员的代表在12世纪选择了基尔德霍尔作为伦敦老城的政府总部。那里的大会厅是英国最大的会议厅之一。在大会厅中依然展示着伦敦老城中古老的12个行会家族的徽章。在那里还有一些木雕,比如巨大的葛格与马葛格,这座木雕是受到中世纪的游行人的肖像的启发而建的,中世纪的肖像已经在第二次世界大战中遗失了。

在基尔德霍尔最西面有一些现代办公楼和基尔德霍尔图书馆,这座图书馆建于1425年。尽管图书馆的藏书在战争中被炸弹破坏,馆中依然还藏有许多珍贵的录像资料、地图和图画。在图书馆的附属建筑内也展出着钟表制作公司博物馆的钟表。

伦敦老城市政厅艺廊

最后,沿着基尔德霍尔院我们可以到达伦敦老城市政厅艺廊,这座艺术馆建于1886年,本身的目的是为了摆放伦敦公司收集来的作品。其中比较著名的是罗马圆形竞技场的考古遗迹,在1988年被归入博物馆中。人们保留了竞技场的遗迹,并在其边上修建了一座美术馆,向人们展示罗马帝国时期的重建计划。

从格雷欣街转入国王街一直走到戚普塞,我们会经过圣玛丽勒博教堂。这是伦敦老城最著名的教堂。教堂的地下室在1666年的伦敦大火中幸存了下来,也挨过了德国闪电战的袭击,然而地下室上面的教堂却没有那么幸运。这座中世纪的教堂在伦敦大火中坍塌,之后由雷恩负责重建好的教堂又一次被德国空军的轰炸击中,最后只剩下了几面外墙和钟塔。

班克

戚普塞向东延伸到了坡尔特里街,在两条街的街角上是班克地铁站。

在班克地铁站我们可以看见大厦之屋的外墙,它是伦敦老城市长的官方寓所。在建筑的门厅中有六根巨大的柯林斯柱子,三角墙上还有雕刻,用来颂扬伦敦老城的美德和伟大。

这座白色波特兰石材的建筑中所有的门(尽管通常大厦之屋并不向公众开放)都在同一条线上,带有相当的炫耀、宏伟和庄严的感觉,不愧是这组建筑的主导。

圣史蒂芬沃尔布鲁克、皇家交易所和英格兰银行

在大厦之屋的旁边是圣史蒂芬沃尔布鲁克教堂,这是伦敦老城教区的教堂,建于1672~1679年间,同样也是雷恩的作品。教堂所在的地方曾经是另一座教堂,该教堂曾出现在12世纪的文献记载中。这座教堂的美妙之处在于教堂的内部,虽然内部的平面面积有限,但是因为加入了一个巨大的拱顶,使得教堂内部的空间增大了许多。人们通常认为这个拱顶是对圣保罗大教堂的拱顶计划的一个实验。在这座教堂的后

▲圣史蒂芬沃尔布鲁克教堂和教堂的圣堂和拱顶。

面是圣玛丽伍尔诺斯教堂,是尼古拉斯·霍克斯莫尔建造的。

穿过班克地铁站,我们隐约可以看见皇家交易所和英格兰银行。

皇家交易所

皇家交易所坐落在康希尔与针线街的街角上。交易所的建筑是古典主义结构的,它受到了希腊建筑的启发,门廊上有八根巨大的柱子。三角墙上有理查德·韦斯特马科特的雕刻作品,有交易所的规章、市长和全国各地的商人肖像。皇家交易所的"皇家"头衔是伊丽莎白一世颁发的,因为就是在那座建筑入口的石阶上宣告了新皇帝的登基。

今天的皇家交易所已经不是全国交易的总部了,交易所被搬到了一座现代建筑中,入口在旧布罗德街上。

英格兰银行

穿过针线街,我们就可以看见英格兰银行。英格兰银行的建立可以追溯到17世纪末,威廉二世的财政部长查尔斯·蒙太古为了资助与法国的战争建了这座银行。起初,这个机构只是一个全国的彩票系统,之后成了信用社,并产生了巨大的公债,依赖于一群银行家。

▼皇家交易所。

42号塔、30号圣母斧和劳埃德船舶保险公司

我们沿着针线街走就可以看见三座伦敦建筑史上非常重要的建筑。其中第一座就是42号塔,坐落于主教门塔边。之前,这座高耸的建筑被叫做奈特韦斯特,是受到了银行业三角形标志的启发而建的,负责建造的是建筑师理查德·塞弗特。从技术层面说,这座建筑已经显示出了一些设施上的问题,因为在建筑50个楼层中有大量的电缆交错。

30号圣母斧

30号圣母斧坐落在圣母斧教区的东面,是一座充满争议的摩天楼,也被称作瑞士保险大厦,还被叫做"小黄瓜",因为建筑的外形比较像小黄瓜。建筑除了有前卫的含义外,福斯特设计这座建筑也希望它成为能源利用上的典范。大楼的41个楼层的布局使空气动力学在这座建筑中得到了很好的利用,建筑表面的双层玻璃使空气可以在建筑中循环,从而减少了空调的使用。

劳埃德船舶保险公司

劳埃德船舶保险公司建造了15年才完成,人们称其为一座高科技建筑。建筑结合了透明元素和各种功能,十分典雅。这座建筑一直保持了其典雅的特点,并没有随着时光的流逝而改变。

最后,我们要向大家推荐游览一下利德贺市场,这个市场与劳埃德船舶保险公司相邻,并与之形成了鲜明对比。这座市场是一座维多利亚时期的室内市场,是铁结构的建筑,建于1881年,所在的那片土地至少从14世纪起就是市场。

◀"小黄瓜"。

▼劳埃德船舶保险公司。

伦敦大火纪念碑和伦敦塔桥

▲三位一体广场。

▲伦敦大桥纪念碑。

从利德贺街沿着格雷斯教堂街向泰晤士河方向走，我们就到了伦敦大火纪念碑，该纪念碑用来纪念1666年的伦敦大火。它坐落于布丁巷边，1666年9月2日清晨伦敦大火就是从那里的一家面包房烧起来的。

纪念碑高62.5米，离伦敦大火烧起来的地点刚好62.5米。纪念碑是一个多利斯风格的柱子，由克里斯托弗·雷恩和罗伯特·胡克设计。这座纪念碑建造于1671~1677年间，夸张地耗费了13 450英镑。在纪念碑内部有一座螺旋形楼梯可以将游客带到一个平台，从那个平台人们可以看到伦敦老城和泰晤士河，画面令人印象深刻。伦敦大火纪念碑不仅仅只有纪念的职责，还是一座天文观测站，并且有一个地下实验室，用于科学研究。这样的双重职能是两位负责建造这座纪念碑的设计师一开始就计划好的。

伦敦塔桥

从伦敦大火纪念碑，我们可以沿着下泰晤士河街走到伦敦塔。

▼伦敦塔桥。

伦 敦 塔

在开始游览前,在我们的右边是圣马格努斯烈士教堂,这座教堂的重建工作也是克里斯托弗·雷恩负责的。1705年,教堂新建的一座高耸典雅的圣堂是教堂最闪耀的部分。下泰晤士河街与泰晤士河平行,街的延伸段就是拜沃德街,在这条街上有另一座教堂:万圣节塔教堂。这座教堂建于17世纪,教堂的塔楼在1649年被炸毁,当时临近的一艘船上的炸药库意外爆炸。

接下来我们就进入了伦敦塔附近的区域。从万圣节塔教堂我们可以到达伦敦塔的主入口,然而,如果从地铁站(塔山站)走到伦敦塔,那么我们就会经过三位一体广场花园。

从那里我们可以走上伦敦塔桥的引桥,引桥在伦敦塔桥的东面。伦敦塔桥是伦敦最具标志性的一座桥,人们绝对可以一眼认出。从伦敦塔桥上人们可以完整地看到从泰晤士河河岸到万圣节塔教堂的全景。

伦敦塔

伦敦塔是伦敦最吸引人的景点之一。首先我们可以注意到的是伦敦塔其实并不是一座建筑,而是一系列被墙围起来的各个时期的历史建筑。

伦敦塔的核心是白塔。白塔是征服者威廉下令建造的一座诺曼底风格的建筑,大约在1097年建成。建筑的外墙高4米,厚1米,是卡恩石材质的,让人们联想到当时这座建筑的战略意义。随着时间的流逝,这片区域的建筑越来越多,职能也更丰富,渐渐成了皇宫、兵器博物馆、动物园、监狱、司库室和货币铸造局等。伦敦塔90年的历史,始终和监狱、折磨和死刑联系在一起。今天,伦敦塔看上去是疾病和苦难的结合,而之前则象征着恐怖,因为那里是对抗皇室的人的受罚之地。伦敦塔最苦涩的回忆被保留在伦敦塔王子的传说中。

▼区域全景。

皇室的珍宝

英国皇室的大多数珍宝都在1649年查理一世执政后,被变卖或是熔化了。现在看到的大多数珍宝都是那个时期之后的。

皇室的珍宝是英国国王的私人收藏。大部分的珍宝都与国王的登基典礼有关,也和臣民授予的至上权利有关。

伦敦塔王子是爱德华四世的儿子，在他们的父亲1483年去世后，叔叔格洛塞斯特公爵将他们囚禁起来。在被关进白塔后不久，人们就没有了王子的消息，很快那位叔叔就成了理查德三世。200年后，人们在白塔古老的主要入口的台阶下找到了两个孩子的尸骨，之后，两位王子被安葬在了威斯敏斯特教堂。除了历史和建筑上的意义外，这座建筑还有两个非常美丽的元素值得游客驻足。

建筑内部被两面墙隔开，这两面墙是亨利三世和爱德华二世在1190~1285年间竖起的，每面墙边都有好几座塔。这些塔都空置着。穿过一片环绕在拜沃德塔边的草地后，我们的参观继续进行。拜沃德塔由爱德华一世建造，并在14世纪改建过。这里的环形草地原本是一条护沟。

拜沃德塔前面就是钟塔。钟塔是1190年理查德一世的作品，那里曾经作为监狱关押过如托马斯·摩尔、伊丽莎白公主和蒙茅斯公爵等人。

沿着墙向东走，我们就到了叛国者之门，那些罪犯就是从泰晤士河通过这扇门进入伦敦塔的。

东边的小塔楼是托马斯塔，是亨利三世大约在1242年修建的，得名于塔楼中的圣堂，这座圣堂是为了坎特布里德圣托马斯而建的。亨利三世的儿子爱德华一世对塔楼进行了扩建，并且添加了一扇开向泰晤士河的门。在托马斯塔的后面是韦克菲尔德塔，同样也是亨利三世的作品，人们认为1471年亨利六世就是在这座塔的底层被刺杀的。地下室展出了好几件酷刑的器具。

▶白塔和古墙的残余。

◀在塔的院子中举行中世纪的马赛。

▲ 女王之家。

▲ 比彻姆和墙。

　　在第二面墙里是血腥塔，这座塔的名字与爱德华四世的儿子有关。理查德二世修建了这座塔，建筑平面是四角形的。这座塔内最有名的房客就是沃尔特·拉雷爵士，他是伊丽莎白一世的情人，他与其他女人的风流轶事让他长时间被软禁。他第二次被监禁时，关了13年，在那期间他完成了一部不凡的著作《世界史》。

　　接下来的一些建筑与周边的许多石头建筑显得有些不协调。首先我们可以看见女王之家。女王之家是一系列的白色和黑色房屋，采用了都铎王朝时期的木质结构。现在女王之家是伦敦塔管理者的私人住宅，因此，并不向公众开放。在女王之家的卧室中，安娜·伯莱纳度过了她最后的时光。盖伊·福克斯和他的同伙就是在那里接受审问的，同样在那里也发生了伦敦塔历史上最不堪的逃逸事件：1716年，尼茨戴尔勋爵在他将被斩首的前一晚，穿着他妻子女仆的衣服从那里逃跑了。

伦敦塔守卫

　　另一样我们还没提到的是皇室守卫，持戟士兵，也被叫做伦敦塔守卫，士兵从1485年就开始守卫伦敦塔了。

　　伦敦塔守卫是一群40岁左右的人，他们是从军队中挑选出来的，负责为游客提供服务，并且向游客介绍伦敦塔。伦敦塔守卫身着红、蓝两色的都铎王朝制服，这些守卫有个绰号叫"吃牛肉的人"。该绰号起源于17世纪，当时朴实的民众为拥有特权（食物和其他方面）的皇室卫队取了这样一个绰号。而现在的伦敦塔守卫就仅仅是在历史景点的工作人员，已经不享受任何的特权了。

▶ 伦敦塔中的中世纪娱乐活动。

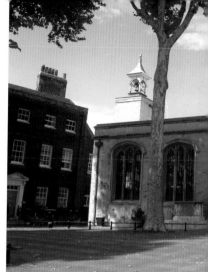

▲教区教堂。

　　女王之家北面紧邻约曼看守之家。约曼看守之家是一座17世纪重建的建筑。伦敦塔中最著名的囚犯中有一个就曾被囚禁在那里。这个囚犯就是鲁道夫·赫斯,他是希特勒的代理人,在1941年登陆苏格兰后被逮捕。

　　向北走,在我们的左边是比彻姆塔;右边是格林塔。比彻姆塔是一座半圆形的三层堡垒,坐落在第一面墙的东面。比彻姆塔大约建于1300年,塔的名字源于托马斯·比彻姆,他是沃韦克伯爵,14世纪末,理查德二世将他关押起来。囚犯在底层的墙上刻满了字。很多囚犯都是从伦敦塔的其他建筑中被移到比彻姆塔的。比彻姆塔中还有一条秘密通道,让国王的侍从可以了解到囚犯们的交流情况。格林塔中保留了一座断头台,专门处决贵族和有皇室血统的罪犯。这里的处决像塔山上的处决一样经常有很多伦敦人观看。

　　在北面有圣彼得皇室圣堂,建于亨利一世时期(大约从1100年到1135年),在13世纪重建,1512年经历了一场大火,之后又被建起来。大多数被处决的人的遗骨都被埋在那里,同时这座建筑本身也是都铎王朝简约建筑风格的典范。

　　伦敦塔的中心就是我们之前提到过的白塔。白塔是一座诺曼底风格建筑,平面是矩形的。那些小的塔楼随着时间流逝,在设计上发生了改变,在17世纪塔楼上都加建了特别的拱顶。在塔内部,最有趣的就是圣约翰圣堂,位于白塔二楼的东南角,是伦敦最古老的教堂。圣约翰圣堂是一座漂亮的诺曼底风格建筑,也是成熟诺曼底风格建筑的典范。1381年,萨德伯里的西蒙大主教曾被迫从这里的祭台离开,被送上塔山的断头台。

　　对很多游客而言,在白塔北面的滑铁卢兵营是游览的一个重点,因为兵营中藏有皇室珠宝,十分吸引人。

▶叛国者之门。

泰晤士河南岸和新伦敦

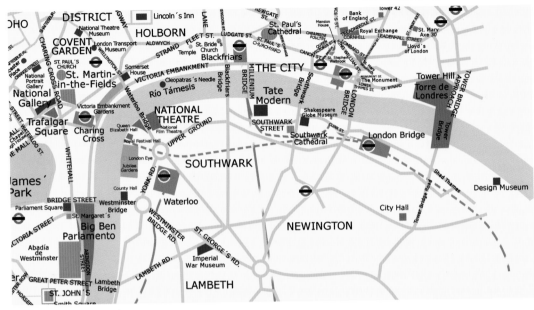

泰晤士河南岸和新伦敦游览路线

（景点后的括号内为建筑的位置）

- 德兴博物馆（沙德泰晤士街）
- 市政大厅（伦敦塔桥街）
- 伦敦桥
- 萨瑟克大教堂（萨瑟克街）
- 克林科街
- 千禧桥
- 泰特现代美术馆（萨瑟克街）
- 国家剧院：国家电

- 影剧院(滑铁卢桥)
- 伊丽莎白女王音乐厅(滑铁卢桥)
- 皇家节日音乐厅（滑铁卢桥）
- 伦敦巨眼摩天轮（大赦年公园）
- 大赦年公园（泰晤士河/约克路）
- 郡政厅（约克路/威斯敏斯特桥）
- 滑铁卢车站

　　我们一直希望可以将本向导的最后一个章节留给伦敦泰晤士河的河岸,在泰晤士河的南岸,曾有一片与世隔绝的区域,而现在已经是伦敦最现代的区域之一了。泰晤士河南岸是伦敦一片新的充满艺术气息的地区,为伦敦带来了新的建筑风格和视觉感受。我们接下来要游览的这片区域从坐落在伦敦塔桥东面的德兴博物馆一直延伸到了威斯敏斯特桥,这一段被人叫做千禧英里,因为在这片区域有许多在最近的世纪之交新建的建筑。

　　这片区域对伦敦的巨大贡献在于它对公众开放,并且是一片远离广阔的商业中心的地区,分布了许多令人兴奋的新博物馆、绿地、旅游景点、机构建筑和怡人的步行街。

德兴博物馆和市政大厅

德兴博物馆是一幢白色的、直线条的建筑(看上去相当单调),它坐落于沙德泰晤士街,面朝泰晤士河。博物馆不仅是一个特别的地方,同时它很显然是那个时代不可否认的成果:由于当时的人文学发展,艺术和商业的界线正在逐渐消失,该博物馆意在向人们展示各种消费品,详细说明它们的发展、使用和美学特质。

▲黄昏时的泰晤士河南岸。

市政大厅

沿着泰晤士河向西走,一穿过伦敦塔桥街就是市政大厅。市政大厅围绕在一片宽阔、怡人的绿地中。市政大厅由诺尔曼·福斯特设计,在2003年完工。这座建筑也被叫做"蛋"(我们之前还提到过一座福斯特设计的建筑——"小黄瓜")。

新的市政厅,建筑中的设施渐渐替代了郡政厅的设施。这座球形建筑是玻璃和钢结构的。除了令人好奇和疑惑的外形,这座建筑的主要特点就是透明,建筑朝向泰晤士河的那面外墙的表面设计很好地表现了透明这个特点。

尽管关于福斯特的争论还在继续着(在他之前的作品中也有这样的情况),这个建筑设计依然满足了政治需求,在建筑的设计中强调了透明的特色,代表政府执政的透明。且不说这座建筑最后有没有实现这样一个透明的政治理想,建筑最后呈现出的效果还是非常壮观的。

在市政厅建筑的设计中,也关注尽可能地节省能源:除了市政厅的形状和特别的布局设计都尽可能减少热效应外(建筑能自动避开向阳处),建筑外墙上的玻璃的厚度和排布都很有讲究——南面的玻璃是不透明的,而在北面(背阳面)的玻璃是完全透明的。建筑还有另外一个很有意义的设计,它的冷却系统使用的是井水,而且井水也被用在卫生间和花园的浇灌中。

一旦进入这座建筑,最令人印象深刻的就是它的外部和内部的强烈不协调。在游客中心的地板上是一幅巨大的伦敦城市俯瞰图,游客可以在那幅地图上寻找城市的主要建筑。

◀泰晤士河南岸的市政大厅。

伦敦桥、萨瑟克大教堂和克林科街

我们继续沿着泰晤士河走,一直可以走到伦敦桥,这座桥在1973年3月16日由英国女王宣布启用。这座混凝土结构的大桥横跨泰晤士河,表面覆有花岗岩,有3个很大的桥拱,使得船只可以顺利在桥下航行。

伦敦桥代替了之前的一座桥(一座中世纪的桥),其通车仪式十分庄严,由威廉四世主持。从1924年开始,桥面上出现了一些裂缝。之后经过了一次记录不是很清楚的洽谈,这座桥被一个加利福尼亚的石油公司用1 025 000英镑购得,并重新在亚利桑那的哈瓦苏湖上建了起来。

很有趣,如果将伦敦桥与我们这章节提到过的其他桥相比较,就会发现所有的桥都代表了时代的更替,也都是城市改建的成果。

萨瑟克大教堂

走过伦敦桥,在周边的建筑群的角上是萨瑟克大教堂。尽管教堂是在1905年被购得的,但是教堂曲折、混乱的历史可以追溯到好几个世纪前。

教堂的建筑风格、附属建筑和修缮工作使其成为伦敦最漂亮、最特别的教堂之一。一开始的时候,这片区域被罗马人占领,这一点可以从教堂南部地上的嵌面石上看出。之后,公元606年,人们在那里建起了一座教堂,是为圣玛丽·奥弗丽而建的,这个名字的意思是"在河上"或"在河岸上"。

▼伦敦桥的正面景象。

21世纪初，人们重修了这座教堂，使之焕然一新，同样也为其加了新的附属建筑：一个游客中心、商店和一个餐厅，然而这些新的场地仍然无法容纳众多的游客，因为这座屹立了9个世纪的教堂充满了艺术气息，建筑风格独特，吸引了大量的游客。沿着大教堂街走，我们可以直接到达圣玛丽·奥弗丽码头，在那里停泊着戈尔登欣德号。这艘简朴的船是弗朗西斯·德雷克爵士的船只的复制品。1577~1580年间，弗朗西斯就是乘坐像这样的一艘船环游世界的。

克林科街

从戈尔登欣德号出来，我们就进入了克林科街。这条街

▲玫瑰剧院。

▲船锚酒吧。

的历史背景让我们可以略微了解一下伦敦这片区域过去的历史。萨瑟克从中世纪开始一直到18世纪都是城市中的一片放荡、无拘束的区域，充满了放纵、空闲、享受和娱乐。这片泰晤士河南岸的区域满是斗鸡场和剧院。

从戈尔登欣德号出发，在到达克林科街1号前，我们可以看到温切斯特主教的奢华宫殿的残余部分，该宫殿修建于12世纪。1649年前，它都是供主教使用，1814年，宫殿被一场大火烧毁。南墙的残迹和西面的三角形建筑形成了大厅的一部分。一旦从地下穿过（地面上恼人的火车轨道切断了人行道），我们就到了船锚酒吧。这个酒吧修建于1775年，从那里可以观赏美丽的泰晤士河的景色。穿过萨瑟克桥街和爱默生街后，我们就走入了帕克街的延伸段。街上的56号是玫瑰剧院，由莎士比亚环球剧团洽谈建设。今天我们可以在新全球步道上欣赏到这座剧院的复制品。

◀萨瑟克大教堂。

千 禧 桥

▲熙攘的千禧桥。

从建筑方面说，千禧桥可以被看做是一座令人惊奇的现代建筑，同样也是一座人行天桥和一个文化旅游景点。

千禧桥的主要设计师还是诺尔曼·福斯特，同时还有安东尼·卡洛爵士配合设计。

桥长350米，桥由几个"Y"形结构支撑，之后人们又加入了一些缓冲系统以保证桥的稳固，并且减少震动。千禧桥在2000年6月开始对公众开放。

为了添加缓冲系统，大桥对公众开放后暂时封闭了一年半又三天，缓冲系统大约耗资5 000 000英镑，为此除了赞叹千禧桥的宏伟和魅力之外，福斯特也遭到了许多批评(这些批评可以说是公正的)。

▶千禧桥。

泰特现代美术馆

我们必须要将游览泰特现代美术馆分为独立的两个部分。一方面要观赏美术馆的建筑本身，另一方面要观赏美术馆内的馆藏，就像人们通常说的，容器和内容都要看。

泰特现代美术馆的建筑完美地结合了这章节开头部分提到的几个主要建筑观点：它并不是一座新的建筑，而是对原先的泰晤士河畔发电厂的改建，发电厂是一座第二次世界大战后不久建起的宏伟建筑，是一个电力中心，由史考特爵士设计，在1984年停止使用。

这是一个明显的例子，它让人们看到了伦敦当局是如何选择通过拆除这片区域的工业设施以获取广阔的土地的。这样做并不是为了从房产市场中获益，而是让人们看到政府可以将这片区域变成公共场所，并通过旅游业获得利润。

泰特现代美术馆不仅有建筑上的优点，而且美术馆超越了所有游客的预想，是世界上最大的当代艺术圣地之一。

不同于人们的猜想，泰特现代美术馆的入口不朝向泰晤士河，而是在建筑角上开向霍兰德街，向西。离开入口，人们可以沿着建筑的砖结构外墙走，建筑外墙巨大，还有一根中央烟囱，这根烟囱已经弃用很久了。

一旦进入美术馆，每个人都成为巧夺天工的设计的见证：巨大的涡轮车间被改造成了美术馆。工业建筑被重新赋予了生命，展示出完全不同的理念，在腾出的空地上人们建起了悬空的玻璃箱作为光源。

在这个无与伦比的美术馆中，轮流展示着65 000幅作品，这些作品是博物馆的常驻展品，此外，美术馆还会组织一些阶段性的画展。

▼泰特现代美术馆。

游览泰特现代美术馆

▲在泰特现代美术馆我们可以感受当代博物馆学的概念,那里的作品不是按照时间顺序排放,而是与参观者之间建立起联系。

在美术馆的最高层,即第七层有一座视野良好的餐厅。

不同时代和不同流派的艺术作品交融在了一起,这是因为美术馆中的画作是按照主题排放的。

不需要去描述美术馆的结构,因为美术馆最初的一位负责人将其建得灵活而新颖。

值得重点观赏的展品有:

- 达利的作品《昆虫电话》和《水仙花的比喻》。
- 罗丹的雕塑《吻》。
- 罗伊·列支敦士登的《瓦姆》。
- 安迪·沃霍尔的《玛丽莲的拼贴画》。
- 毕加索的《哭泣的女人》和《三个舞蹈家》。
- 莫迪利亚尼的《一个男孩的画像》。

从泰特现代美术馆我们可以走到泰晤士河南岸的另一个中心:南岸区,它坐落在整片区域的西部。

南岸区是离伦敦市中心最近的区域,从1951年起就开始重建,一方面是为了庆祝万国博览会百年纪念,同时也为了减轻第二次世界大战造成的伤害。人们创办了英国节,皇室节日音乐厅就是为了庆祝英国节而建的。从那时起,伦敦的这片区域都与文化紧密相连,有剧院、音乐厅和美术馆。

另一方面,这片区域最后兴建了伦敦巨眼摩天轮。这座摩天轮是这片区域最现代的作品,也是伦敦最受欢迎的景点之一。

国家剧院、国家电影剧院和伊丽莎白女王音乐厅

▲国家电影剧院局部。

我们从国家剧院开始游览南岸区。考虑到国家剧院的面积，如果想要欣赏剧院的全貌，最好的办法就是从维多利亚堤上看这座剧院。剧院的各个区域被完美地结合在了一起，从巨大的门厅到最边缘的弯角处都十分精巧美丽。

继续向西走我们就到了滑铁卢桥。这座桥于1945年开放通车，代替了之前的一座1817年由约翰·芮内爵士设计的桥，那座桥已经腐朽了。滑铁卢桥横穿泰晤士河，共有五个桥拱，弧度都不大，由史考特爵士设计。就如同藏在裙兜中的私酒一样，国家电影剧院隐藏在桥的护墙下。国家电影剧院是英国的国家影像资料馆。

国家电影剧院

毫无疑问，这里是伦敦的影像资料圣地。剧院的屏幕上放映过一些主题系列故事片、怀旧片、奇闻逸事、修复过的影片等。每年11月，这里就成了伦敦电影节的中心，会放映一些世界上知名导演的作品。

伊丽莎白女王音乐厅

伊丽莎白女王音乐厅是泰晤士河岸边最大型的建筑。音乐厅经常举办一些小型音乐会，伊丽莎白女王音乐厅的座位比邻近的皇家节日音乐厅的要少一些。

第二大的音乐厅是珀塞尔音乐厅，这个音乐厅的规模更小。

不管怎样(很多年来一直有针对音乐厅的批评，甚至还有人要求拆除音乐厅)，最近在音乐厅旁边加建了一座玻璃的附属建筑，也对门厅进行了改建，这样即使没有让音乐厅变得更吸引人，但是至少可以使音乐厅显得更人性化。

▼国家剧院。

▶伊丽莎白女王音乐厅入口的纪念碑。

泰晤士河南岸和新伦敦

皇家节日音乐厅和伦敦巨眼摩天轮

接下来一站是皇家节日音乐厅,这座建筑十分耀眼奢华,在建造之初,人们就希望将其建成一个拥有完美音效的音乐厅。皇家节日音乐厅是伦敦第一幢现代主义的公共建筑,建筑师勒·柯布西耶和卢伯金对这座建筑的风格产生了决定性的影响。这座建筑在30年代呆板的古典现代主义风格中加入了新元素,如弧形的顶盖用很细的柱子支撑,与看上去很结实的玻璃和波特兰石材外墙的角度和线条形成了鲜明对比。

伦敦巨眼摩天轮

就像我们之前提到的,这片区域最重要的新元素就是伦敦巨眼摩天轮。摩天轮是一座前卫的大观览车,高135米,坐落在皇家节日音乐厅的西面,大赦年公园中。英国最大的航空公司赞助建造了这座摩天轮,在庆祝新千年到来期间,这座摩天轮开始对公众开放,按照原本的计划,这座摩天轮只是一座暂时性的建筑,但是随之而来的巨大成功使这座摩天轮被宣布为一个伦敦的旅游景点,成为一座永久性的设施。

摩天轮的基本设计理念是一个巨大的自行车轮,有

中心毂、辐条和轮毂,上面有32个玻璃小房间,与传统的摩天轮不同,这些小房间不是挂在摩天轮上,而是固定在上面的。

除了优越的位置,伦敦巨眼摩天轮的旋转速度很慢,让游客可以很好地看到伦敦的全景,从近处的议会大厦到城市的郊外都一览无余,可以看到大约40平方千米的景色。

◀ ▲伦敦巨眼摩天轮。

大赦年公园
和郡政厅

▲ 大赦年公园的景色。

　　大赦年公园建造于1977年,建造这座公园是为了纪念伊丽莎白二世登基25周年。现在这个公园是南岸区改建计划的一部分。

　　建造这片绿地是为了配合周围的文化氛围为公众创造一片公共场所,在城市中开辟一片宽敞的、无污染的区域,人们可以在那里散步,欣赏摆放在那里的塑像,在这片休闲区,还可以开展露天活动,进行露天表演。在那里有不少雕塑作品,如西班牙内战的国际旅纪念碑、尼尔森·曼德拉的半身像,上面还刻有他的名言"斗争就是我的生命"。

郡政厅

　　伦敦巨眼摩天轮的西面是郡政厅。郡政厅是过去大伦敦议会的首府,直到1986年首相玛格丽特·撒切尔夫人将议会解散。郡政厅的历史可以追溯到1906年,当时伦敦郡议会购置了一小片土地,建造新的行政中心。如今,郡政厅的附属建筑主要是酒店和饭店,还有萨奇画廊、达利作品纪念馆和伦敦水族馆。

　　达利作品纪念馆是除了达利在西班牙的作品展以外最大的作品展览馆,同时也阶段性地展览一些其他画家的作品。最后,我们可以游览一下萨奇画廊,那里的馆藏都是广告商查尔斯·萨奇收藏的当代艺术品。这座画廊意在鼓励年轻有天赋的英国艺术家,并展出那些还未被英国发掘的艺术家的作品。

▼郡政厅。　　　　　　▶国际旅纪念碑。

滑铁卢车站

为了完成我们的旅程,我们继续向南走,在滑铁卢车站和帝国战争博物馆作一下停留。

在郡政厅的后面,从壳牌中心延伸出了约克路,从那里我们可以到达贝尔韦路。那里有巨大的滑铁卢火车站,这座火车站是对19世纪的旧车站和20世纪末新建的国际车站的结合。

滑铁卢车站一直被认为是伦敦最有效率的火车站,并且有很大的候车处。车站的主入口很有特点(在车站的西北面),装饰有几组雕塑作品。1993年,欧洲之星的站台建成,欧洲之星列车沿着曼查运河在全欧洲行驶。滑铁卢车站的设计已经获得了许多建筑奖项,并被认为是维多利亚时期铁路的建筑范本。车站共有四层,其中有三层在地下,车站的五个站台的天花板都是玻璃拱形结构的。

从滑铁卢车站,我们走上威斯敏斯特桥街,在与圣乔治路交会的街角转弯,走上兰贝斯路就可以到帝国战争博物馆的入口处了。

▲滑铁卢车站。

▶在伦敦地铁站有专门给艺术家表演的场地。

帝国战争博物馆

帝国战争博物馆的建造是为了纪念那些在第二次世界大战期间牺牲的人们,但很快博物馆中的藏品就不仅限于战争物品了。这座博物馆是一个混乱而又充满魅力的地方,参观者在观赏其中的展品时无法意识到自己是在赞颂战争内在的美还是在感受一个和平主义者对残暴的揭发和控诉。

博物馆中除了所有的战争必需品外,还有一系列图表、影像和声音资料,伴随着影像的效果,使人真切感受到战争带来的极度的恐惧。有些展览专门展示大屠杀的情景、模拟闪电战轰炸的情景还有一个第一次世界大战的战壕的复制品。各种武器和配给卡、柬埔寨和卢旺达种族屠杀的资料摆放在一起,那里还有一个全球因战争而死亡的人数的计数器。